DROZIERS ERFENIS

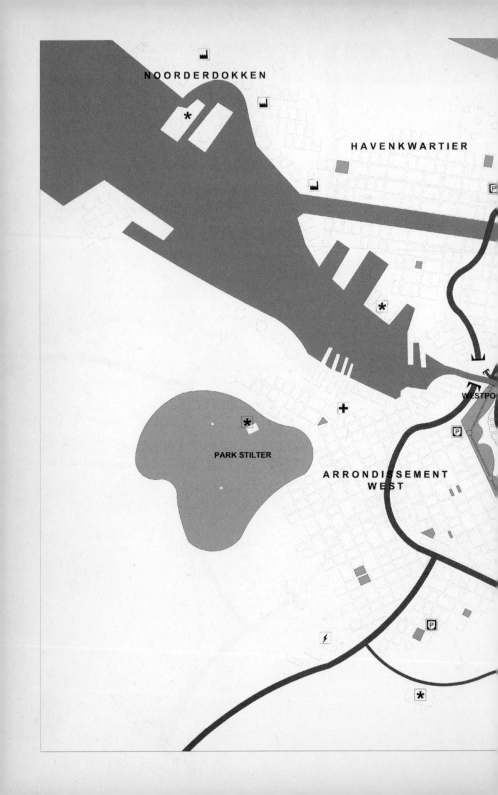

MILAN HOFMANS

DROZIERS ERFENIS

EEN AVONTUUR VAN MADHU MAHAVIR

Clavis

Bij het schrijven en vormgeven van dit boek ben ik door veel mensen geïnspireerd, gesteund en geholpen. Ik wil hen bij dezen bedanken.

In het bijzonder gaat mijn dank uit naar Inge Okkes, Suzanne Okkes, Stephanie van Wel (jullie wijsheid, liefde, geduld en toewijding zijn van onschatbare waarde) en naar alle medewerkers van Clavis Uitgeverij.

Rutger Schuijff, Pål Ringborg, Bas Siemons en Crispijn Westen ben ik erg dankbaar voor hun bevlogenheid en illustratieve/grafische ondersteuning.

Milan Hofmans
Droziers erfenis. Een avontuur van Madhu Mahavir
© 2010 Clavis Uitgeverij, Hasselt – Amsterdam – New York
Illustraties: Milan Hofmans
Omslagontwerp: Milan Hofmans en Studio Clavis
Trefw.: mysterie, begaafdheid, detective, onsterfelijkheid, sneeuw
NUR 284
ISBN 978 90 448 1407 1
D/2010/4124/179

www.clavisbooks.com
www.madhumahavir.com

Als iets bovennatuurlijks bestaat,
is het per definitie niet langer bovennatuurlijk.

— R. FILKETONNER, NACHTCEREMONIES (DEEL II)

'*Volgens mij is* Halmo weer bezopen.'

'*Hij is het niet weer, maar nog steeds,*' zeg ik. '*Niks anders helpt.*'

'*De bierbrouwers en wijnmakers zijn waarschijnlijk wel gelukkig met hem.*'

Ik knik naar mijn meester Barhennio zonder op te kijken. De toestand van Astils vader gaat me natuurlijk aan het hart, maar op dit moment ben ik druk bezig met de salamandertjes in de fles voor me op tafel. Nog geen negen weken geleden heb ik met een schaartje de staart en het rechterachterpootje van de kleinste afgeknipt en nu al is alles weer helemaal aangegroeid. Vanzelf gerepareerd, een nieuwe start. Speels trappelt het beestje met zijn soortgenoot door het water. Het afkooksel van de nieren en hersenen van deze diertjes is het antwoord op al onze vragen. Ik weet het zeker.

'*Moet je hem horen krijsen.*' *Barhennio trekt de deur open om een blik te werpen op het huis aan de overkant. Snijdend koude lucht tocht langs mijn onderbenen het vertrek in.* '*Ik zie zijn vrouw op de eerste verdieping zitten. Maar volgens mij zit hij zelf nog in zijn werkplaats, samen met jouw onnozele bewonderaar,*' *zegt hij met zijn hoofd buiten de deur. Flauwe toespelingen over Astil hoor ik nauwelijks meer. Een van Halmo's jammerende uithalen doet Barhennio de deur weer dichtgooien. Mijn meester kan slecht tegen pijn en bloed. Vooral bij zichzelf, maar ook als het van een ander is. Hij wordt er duizelig van.*

'Dit kan ik niet weer de hele nacht aanhoren,' zegt hij. 'Ik wil dat jij nog eens probeert Niboeck daar naar binnen te krijgen.'

'Niboeck? Maar waarom ...?' begin ik.

'Geen vragen. Geen waarom. Ga hem halen.'

Zwijgend sta ik op om mijn mantel te pakken. Ik heb de hele week weinig gegeten en geslapen en ik mis de kracht om ergens tegenin te gaan. Maar het is nutteloos om hiervoor de kou in te gaan. Ook al is Astils vader nu dronken en gekweld genoeg om zijn angst voor dokters even opzij te zetten, de geneesheer Niboeck van om de hoek (die twee jaar geleden ook nog eens is aangesteld als heksenjager) kan toch niets veranderen aan zijn toestand. Daarvoor moet zo'n goede, onbetaalbare chirurgijn langskomen. Of de dood. Maar zeker niet een handtastelijke kwakzalver die nog niet eens een splinter uit een vinger krijgt. Net als mijn salamandertje heeft Halmo een nieuwe start nodig, een spontane reparatie van zijn kapotgevallen heup.

Woensdag – wanneer mijn meester de deur uit is – hoop ik het een na laatste ingrediënt van de balsem te maken.

1

Narter Dalkin pakte een broodje gehakt uit en dacht Bastan te zien staren naar zijn bruingevlekte handen, die sinds een paar jaar ook wat beefden.

'Ben jij eigenlijk getrouwd?' vroeg hij. Hij nam een hap van zijn broodje en keek over zijn bril naar zijn bijrijder.

'Nee, ik woon nog bij mijn moeder. In de Walkstraat. Arrondissement Oost.'

'Hm, hm. Hoe oud ben je dan?'

'Volgende week word ik drieëntwintig.' Bastan nam een slok koffie. 'En u?'

'Niet getrouwd.'

'Nee, ik bedoel ...'

'O, dat. Vanaf volgende week ben ik precies drie keer zo oud als jij.' Dalkin legde zijn broodje op het dashboard en startte de wagen. Zijn eetlust was verdwenen.

Dit was de tweede dag dat Dalkin en Bastan samen met wagen acht reden, en vanaf het begin van hun samenwerking had Dalkin zich plotseling oud gevoeld. Naast zijn nieuwe collega – die hij overigens een toonbeeld van ijver en vriendelijkheid vond – voelde Dalkin zich een versleten veteraan, een mopperende oude rot die maar niet wil aanvaarden dat zijn carrière eigenlijk voorbij was. Dalkin was ervan overtuigd dat Bastan binnenkort de chauffeur zou worden van wagen acht, het nummer dat al vierendertig jaar *zijn* nummer was. Op

een zekere ochtend zou de baas de sleutelbos en het ritten-
boek in Bastans handen drukken, en daarmee zou het voor
Dalkin afgelopen zijn. Geen overleg, zonder pardon. Afge-
dankt. Dalkin had het wel vaker zien gebeuren.

'Daar is de volgende bui die ze op de radio voorspelden.' Bastan wees op de wolken die grauw afstaken tegen de witte akkers
om hen heen.

Dalkin trapte het gaspedaal dieper in. Het was nog een
kwartiertje rijden voor ze door de Oostpoort de binnenstad
in zouden rijden. En dan was het nog even naar het magazijn. Uitladen, de afleveringsbon laten tekenen, snel aftanken.
Nee, dacht Dalkin, laat Bastan de lading maar afhandelen en de
wagen parkeren. Vandaag zit ik om halfzes naast mijn kachel.
Schoenen uit, lekker kopje …

'Meneer Dalkin! Kijk uit!'

Dalkin gooide het stuur met een ruk naar links. Vanachter
een groepje bomen in de berm was een man in een rode overall de weg op gelopen en voor de vrachtwagen beland. Bastan
schreeuwde toen er aan zijn kant een doffe klap klonk. De
wagen schokte opzij door de botsing.

Ze gleden met slippende banden de andere weghelft over,
de berm in. In een besneeuwde struik kwam de wagen tot stilstand.

Bastan keek geschokt naar Dalkin, die achterover in zijn
stoel leunde en naar de verschoten stoffering van het dak staarde. Dalkin was zeker geen opschepper, maar durfde wel van
zichzelf te zeggen dat hij een goede chauffeur was. De afgelopen vierendertig jaar had hij zonder noemenswaardige schade miljoenen kilometers afgelegd. Goed, wat krassen in de lak

bij het parkeren, een kapotte bumper door een kettingbotsing en een onverklaarbare deuk in het rechterportier na een rit door het Ravomun-massief. Uitsluitend blikschade, nooit persoonlijke ongelukken. Dalkin vroeg zich af waarom hem nu zoiets nog moest overkomen, in de late winter van zijn loopbaan.

Dat dit een ernstig ongeval was, was zo goed als zeker; hij had iemand aangereden met een snelheid van tachtig kilometer per uur. Met een volgeladen vrachtwagen. Zoiets kon alleen maar fataal zijn.

Dalkin wreef in zijn klamme handpalmen en zuchtte. 'Bastan?'

'Ja?'

'Als we naar buiten gaan, zullen we een lijk vinden.'

'Ik zie niets liggen.' Bastan speurde koortsachtig zijn achteruitkijkspiegel af.

'Dat betekent niet dat hij nog leeft.'

Bastan gaf geen antwoord. Hij zag lijkwit en ademde snel.

'Blijf jij hier maar even zitten om bij te komen,' zei Dalkin. Hij maakte zijn portier open en stapte naar buiten. 'Ik ben zo terug.'

Het kostte Dalkin zes stappen door de diepe sneeuw in de berm om langs de linkerkant van de vrachtwagen te lopen. Hij zoog zijn oude longen vol winterlucht.

Toen hij de achterkant bereikte en zag wat hij zag, ontschoot hem een verschrikte kreet en viel hij achterover in de sneeuw – een combinatie van terugdeinzen en struikelen.

'Hoe … hoe is dit mogelijk?' bracht hij vanaf de grond uit. 'Hoe is dit in hemelsnaam mogelijk?' Het was inderdaad zeer onwaarschijnlijk dat degene die hij zojuist in volle vaart had aangereden nu ontspannen tegen de laaddeuren van zijn vrachtwagen stond geleund.

Dalkin zag wat scheuren in de rode overall van de man. Donkere vegen en schuurplekken over zijn linkerzijde lieten zien dat hij op die kant over de grond was gegleden. In zijn bivakmuts, ook rood van kleur, staken wat takjes. Maar zo op het eerste gezicht leek hij verder ongeschonden.

'Jij hebt geluk gehad,' zei Dalkin, terwijl hij overeind krabbelde. 'Heel veel geluk.'

De man in de overall haalde zijn handen uit zijn zakken. 'Ik heb geen geluk. En nooit gehad ook,' zei hij.

'Iemand die na zo'n klap ...'

'Wilt u zo goed zijn deze deuren voor mij te openen?'

'Wat zegt u?' Dalkin dacht dat hij het niet goed verstaan had.

'Gauw, heer, alstublieft. Hebt u het niet koud?'

'Ik begrijp je niet. Denk je soms dat dit een passagiersbus is?'

'O nee.' De man glimlachte, waarbij Dalkin zag dat hij geen enkele tand of kies in zijn mond had. Zijn kaken waren glad en rozerood, als van een baby. 'Ik vraag u open te maken omdat ik uw wagen moet overvallen.'

'Dan ... moet ik even de sleutels pakken.' Dalkin rende zo snel zijn geschrokken benen hem konden dragen terug naar de bestuurderskant van de wagen. 'Wakker worden jij, we worden beroofd!' riep hij tegen Bastan, die met een been was uitgestapt en zijn jas aan het dichtknopen was.

'Beroofd? Door wie dan?' Bastan keek hoe Dalkin vanachter de bestuurdersstoel een pistool tevoorschijn haalde. 'Het dienstwapen? Moet dat?'

'Allemachtig, jongen, hoor je me niet? Een overval!'

'Heren, komt u mij nog helpen?' Het gemaskerde hoofd verscheen aan de kant van Bastan, die in een oogwenk over de versnellingspook en de bestuurdersstoel klauterde en door de andere deur naar buiten sprong.

'O, legt u dat ding maar weg,' zei de man. Hij wees naar het pistool. 'Ik ben goed beschermd tegen kogels.'

'Ik leg helemaal niets weg.' Dalkin richtte het wapen over de motorkap heen op de overvaller. 'Als ik jou was, zou ik me maar overgeven. Of draag je soms ook een kogelvrije broek?' Bastan was naast Dalkin gaan staan en knikte aanmoedigend.

'Goed, dan moet het maar zo,' zei de man en hij stapte op de twee af.

Dalkin haalde de trekker over. Een knal verscheurde alles en echode krakend over de velden. Het was raak. Met een bijna komische zwaai zwiepte het linkerbeen onder de overvaller vandaan, waardoor hij een gedeeltelijke voorwaartse salto maakte en met zijn gezicht op de grond sloeg.

Maar toch stond hij onmiddellijk weer op.

Het lukte Dalkin om nog een tweede schot te lossen, de loop maar een halve meter verwijderd van de borst van de op hem afstormende man. De luchtdruk en de kogelinslag waren zo hevig dat de overvaller van zijn voeten werd getild en een meter verderop in de sneeuw landde. Maar weer krabbelde hij snel op, om met een duiksprong zowel Dalkin als Bastan naar de grond te trekken.

Het volgende ogenblik waren de rollen ineens omgekeerd: Dalkin en Bastan lagen op de grond terwijl de man in de rode overall het pistool in handen had. Hoewel de laatste het wapen niet eens op de bewakers richtte, durfden de twee zich toch niet verder te verzetten tegen de overvaller, die wel on-verslaanbaar leek.

'Wat is uw naam?' De man knikte naar Bastan.

'Bastan. Ik heet Bastan.'

'Beste heer Bastan, wilt u zo vriendelijk zijn de handen van uw beroepsgenoot te binden?' De man in het rood pakte een stuk touw uit zijn linkerzak en gooide het naar Bastan.

Bastan keek Dalkin vragend aan, die zijn schouders op-haalde en knikte. 'Doe maar, wat kunnen we anders?'

Toen Bastan klaar was en de knopen waren goedgekeurd, werd Dalkin opgesloten in de cabine van de vrachtwagen. Bastan moest meelopen en de achterdeuren openmaken.

'Zo, en pak voor mij nu maar even …' de overvaller pau-zeerde even '… doet u die twee zwarte koffers maar.'

Bastan keek de man verbaasd aan: 'Weet u het niet zeker?'

'Nee. Eerlijk gezegd niet. Hebt u een andere suggestie?'

'Ik zou deze kluis meenemen.' Bastan wees op een massieve brandkast waarop met witte letters *Andama, Handel in Zaken van Belang* stond. Hij wist bijna zeker dat die kluis leeg was.

'Vergeet niet dat ik te voet moet ontsnappen. Dat ding lijkt me lastig te vervoeren.'

'Hm. In dat geval kunt u beter deze aluminiumkist nemen. Die draagt best gemakkelijk, met die twee handvatten.'

'En is de inhoud daarvan waardevol?'

'Natuurlijk.' Bastan had er geen idee van wat erin zat.

'Weet u dat zeker? Dat moet namelijk wel het geval zijn.'

'Alles in deze wagen is waardevol. Anders zou het niet op deze manier vervoerd worden.'

'Dat klinkt aannemelijk. De aluminiumkist dan maar. Be-dankt voor uw hulp.'

Van de oude garde chauffeurs had Bastan wel eens verhalen gehoord over diefstallen; spannende verslagen van schietpartijen, achtervolgingen, intimidatie en gijzelingen door keiharde misdadigers. Dat een overval ook op deze manier kon verlopen, had hij niet verwacht.

Hij trok de kist langzaam uit de laadruimte en liet hem met een klap voor de voeten van de overvaller neerkomen.

'Keurig,' zei deze. 'Nu nog even alles afmaken.' Hij gooide de deuren dicht en pakte een vouwmes uit zijn broekzak.

'Geen zorgen, mijn beste,' zei hij toen hij Bastans verschrikte blik zag. 'Het is voor op de automobiel.' Met het mes kraste hij wat schrifttekens in de lak op de zijkant. 'Loopt u nu maar voor me uit naar de passagierscabine. Dan kan ik u vastmaken.'

Al snel zaten Dalkin en Bastan met hun handen aan het stuur van de wagen vastgebonden. De motor draaide en de verwarming stond aan, zodat het behaaglijk warm werd in de cabine.

'Zo, heren. Het kan even duren voordat er op deze rustige weg een automobiel voor u zal stoppen, maar ik beloof dat u hier in ieder geval niet langer dan twee uur opgesloten zult zitten. Voor zeven uur vanavond zal ik de politie inlichten over uw situatie. En dan moet u dit aan hen geven.' De overvaller legde een lapje witte stof op het dashboard. Er waren rode letters op geborduurd: *S.P.* 'Vergeet u daarbij niet te zeggen dat u van uw waardevolle bezittingen bent beroofd door een man in het rood. Iets buiten de stadsmuur.'

'Dat zullen we vast en zeker doen,' zei Dalkin. 'Maak je daarover geen zorgen.'

Bastan knikte.

Een paar minuten lang keken de twee mannen zwijgend toe

hoe hun overvaller uit het zicht verdween. Het was inmiddels gaan sneeuwen.

'Zijn verdiende loon,' doorbrak Bastan de stilte. 'Door een sneeuwstorm ploeteren met die kist.'

Dalkin bestudeerde Bastan een ogenblik, vol ongeloof over zoveel onschuld. Toen hij zag dat Bastan meende wat hij zei, richtte hij zijn blik hoofdschuddend weer naar buiten.

2

De nachtblauwe Ridelo Excellence, die achteloos op het trottoir voor de hoofdingang van Firi Andama's kantoorgebouw werd neergezet, was zeker zestig jaar oud maar nog steeds in buitengewoon goede staat. Dat zag Ackler, de dienstdoende nachtportier en toevallig ook een liefhebber van oldtimers, in een oogopslag. Hij verlekkerde zich een klein ogenblik aan de soepele lijnen van de achterspatborden en het kenmerkende olifantje op de motorkap, voor hij zijn pet op deed en naar buiten ging.

'U rijdt in een prachtige auto, maar dat betekent niet dat u daar mag parkeren,' riep hij naar de drie grote mannen die tegelijkertijd uit de auto stapten. 'Dit is privéterrein.'

Er kwam geen antwoord.

Toen de mannen zich rond de rechterachterdeur opstelden, viel het de nachtportier op dat ze er alle drie hetzelfde uitzagen. Ze waren even lang en droegen lange, zwarte jassen, grijze broeken en glanzende zwarte schoenen. De kragen van hun jassen stonden op dezelfde manier omhoog en daartussenin staken drie identieke, gladgeschoren kinnen naar voren. Ze leken zo weggelopen uit een stripverhaal, vond Ackler.

Een van hen trok krachtig de achterdeur van de auto open.

Ackler legde een hand op de wapenstok aan zijn riem en verhief zijn stem, net zoals hij dat had geleerd tijdens zijn opleiding tot beveiliger: 'Heren, ik moet u dringend vragen uw auto hier

19

weg te halen. Deze stoep is privé-eigendom van Firi Andama.'

'Aangezien de eigenaar van deze stoep momenteel dik bij mij in het krijt staat, lijkt het mij verstandig dat u mij niet langer lastigvalt over een onbenullige parkeerplek,' sprak een vierde man, die op dat moment uit de auto kwam. Ook hij droeg een lange zwarte jas, maar leek verder helemaal niet op de drie anderen. Deze man was kleiner en jonger dan de gelijkvormige kolossen die hem omringden. Zijn gezicht werd grotendeels bedekt door een zonnebril met schildpadmontuur. 'Ik ga even naar boven om met Firi te praten,' zei hij met een vriendelijk knikje naar Ackler.

'Meneer Andama ontvangt alleen bezoek op afspraak, en ik weet zeker dat ik niets in de agenda heb zien staan voor vanavond.' Ackler zag in dat de discussie over de auto op de stoep al verloren was.

'Andama heeft afspraken met mij die niet in jouw agenda staan, jongen.' De man met de bril stapte op Ackler af en stak zijn hand uit. 'Ik ben Dendessi Mirov, waarschijnlijk hebt u wel eens van mij gehoord.'

Ackler probeerde te verbergen dat hij behoorlijk onder de indruk was. Dat hij deze man niet had herkend – zo in het echt zag hij er heel anders uit dan op de foto's in de kranten en bladen. Voor hem stond de eigenaar van onder andere La Kela Flush, het extravagante hotel met casino aan de Boulevard Premier, een plaats waar beroemdheden graag samenkwamen en gezien wilden worden. Dendessi Mirov dineerde daar met politici en royalty, speelde roulette met sportlegendes en leegde tot diep in de nacht champagneflessen met filmsterren. Deze man belichaamde kortom invloedrijke glamour en de overdaad van de jetset.

Maar ook was de naam Mirov voor de inwoners van Mone-Daun verbonden met allerlei activiteiten die de grenzen van de wet bijna, een beetje of zelfs volledig overschreden. Als leider van de door hemzelf opgerichte Vakbond voor Straat- en Nachtarbeid beheerste Dendessi Mirov bijvoorbeeld de onderhandse straathandel van de stad. Van iedere trans-actie – legaal of illegaal – die in de oude binnenstad plaats-vond, verdween een aanzienlijk percentage van de opbrengst in de slangenleren portemonnee van deze man, zo werd wel gezegd. En Mirov had zijn zaken zo voor elkaar dat niemand, écht niemand, hem daarbij een strobreed in de weg kon leggen.

Het trio dat als een roedel hyena's rond deze koning van de onderwereld cirkelde, kon Ackler nu plaatsen als de gebroeders Cambron, Dendessi Mirovs lijfwachten. Deze eeneiige drieling was op jonge leeftijd het land binnen gesmokkeld door Marno Mirov, Dendessi's vader, die vanwege zijn kracht en onverzet-telijkheid de bijnaam De Mammoet had gekregen. De oude Mirov wilde zeker weten dat zijn minder robuust uitgevallen zoon en opvolger goedbeschermd achterbleef, en besloot daar-om de drieling eigenhandig op te leiden tot de slagvaardigste bodyguards denkbaar. Dat deze opleiding geslaagd was, hoef-den de broers bijna nooit meer te bewijzen, juist omdat ze zo vreselijk goed waren.

'Wil jij je werkgever nu gaan zeggen dat ik er ben?' vroeg Dendessi Mirov nog eens aan Ackler.

Er zijn van die mensen die alles krijgen wat ze willen – Den-dessi Mirov was er daar een van. En Ackler de nachtportier durfde daar geen verandering in te brengen. 'Kunt u even bui-ten wachten, meneer Mirov? Ik ga …' Onheilspellende blik-ken van de broers Cambron weerhielden hem ervan zijn zin af te maken. 'Mag ik u vragen vast binnen te komen?' begon hij opnieuw. 'Dan hoeft u niet in de kou te staan terwijl ik even naar boven bel.'

'Jongen, je doet je werk uitstekend,' zei Mirov. In het voorbijgaan stopte hij een vers briefje van honderd in Acklers borstzak.

In de woonkamer van Firi Andama, helemaal op de bovenste verdieping van het kantoorgebouw, zoemde de telefoon. Andama hees zich op uit zijn leunstoel en liep op zijn gemak naar de tafel aan de andere kant van de kamer. De telefoon zou net voor de zevende keer overgaan toen hij oppakte: 'Ackler. Zeg het maar.' Aan het geel knipperende lampje had Andama gezien dat het de receptie beneden was.

'Ja … ja … Laat hem maar naar boven komen,' zei Andama na tien seconden aandachtig luisteren. Hij hing op en liet zijn hand even op de telefoon liggen. 'Goed,' zei hij zacht tegen zichzelf. 'Daar gaan we dan.' Op een drafje nu liep Andama naar een schilderij en hij opende de kluis die erachter verborgen zat. Hij deed het gouden horloge dat hij van zijn opa had geërfd af en borg het weg, bang dat Mirov het ging afnemen als onderpand.

De telefoon rinkelde Madhu wakker. Zijn oom Ranga sliep altijd overal doorheen.

Madhu slofte de gang op, waar het telefoontoestel aan de muur hing.

'Met Madhu Mahavir' ... 'Hallo, meneer Firi. Ja, met mij gaat het goed. En met u?' ... Madhu's gezicht betrok. 'O. Zal ik hem voor u roepen?' ... 'Ja, hij slaapt.' ... 'Nee, geen probleem. Een momentje.'

Madhu rende door de woonkamer naar de slaapkamerdeur van zijn oom, waarbij hij een hoge hordesprong over de bank maakte. Hij klopte voor hij zijn hoofd om de hoek van de deur stak. 'Ranga?' De gordijnen voor het openstaande raam fladderden als geketende spoken. 'Ranga?'

'Ja?' Hoewel Ranga antwoord gaf, hoorde Madhu aan zijn ooms stem dat hij nog half sliep.

'Ben je wakker? Je moet even luisteren.'

'Wat is er dan?'

'Meneer Firi is aan de telefoon. Hij wil je spreken. Volgens mij is er iets ergs aan de hand.'

'Weet je waar het over gaat?' Ranga stond op en trok zijn kamerjas aan.

'Nee. Hij vroeg meteen naar jou.'

Aan het begin van het gangetje bleef Ranga stilstaan. Zijn armen liet hij langs zijn zij vallen.

Madhu begreep meteen waarom: hij had de hoorn weer niet op de telefoon gehangen, maar aan het snoer naar beneden laten bungelen. Ranga had al een paar keer gezegd dat de telefoon hierdoor was gaan kraken.

'Pardon,' zei Madhu zacht. Hij vroeg zich af waarom hij dat aldoor vergat.

Ranga vroeg zich op zijn beurt af waarom hij hier elke keer iets van moest zeggen. Dat beetje kraken van de telefoon maakte hem eigenlijk niets uit – ze moesten maar eens een nieuwe kopen. Hij gaf zijn neef een kus op zijn kruin en pakte de hoorn op.

Een kwartier later zaten ze met zijn tweeën in de woonkamer te praten, Madhu op het kleed, Ranga op de bank.

'Ik dacht wel dat je dat zou zeggen,' zei oom Ranga.

'Ik heb vorig jaar toch ook alleen bij meneer Firi gelogeerd? Hij past goed op me. Toen liet hij me ook nergens heen gaan zonder een van zijn mensen mee te sturen.'

'Dat is niet waar,' wierp Ranga tegen. 'Ik kan me nog goed herinneren dat jij me helemaal alleen stond op te wachten in de aankomsthal van het vliegveld.'

'Een van meneer Firi's chauffeurs zat toen in de auto op ons te wachten.'

'Dat neemt niet weg dat je in je eentje op een groot vliegveld rondliep. En die chauffeur had jij trouwens zelf meegevraagd. Firi is een dierbare vriend, maar niet bepaald een vaderfiguur.'

'Misschien is dat wel een beetje zo. Maar ik kan toch vast wat voor hem rondvragen en helpen. Totdat jij komt?'

'Aan de ene kant vind ik het geen slecht idee. Jij bent nog

bijna drie weken vrij en het ziet ernaar uit dat ik pas rond de negentiende klaar ben met dat onderzoek voor het ministerie. Firi biedt je een goed excuus om je saaie oom te ontvluchten.' Ranga nam een slok thee. 'Maar Firi klonk gespannen, angstig zelfs, en dat was vast niet voor niets. Waarschijnlijk had het ermee te maken dat een van die Mirovs bij de zaak betrokken is. Onderwereld.'

'Ik wil niet brutaal zijn, maar een eigenaar van een casino is toch niet meteen een misdadiger? Volgens mij was meneer Firi vooral bezorgd omdat de verzekering de diefstal waarschijnlijk niet dekt en omdat de politie de omstandigheden verdacht vindt.'

'Je hebt weer geen woord gemist, zo te horen.'

Madhu stond op en liet zich naast zijn oom op de bank vallen. 'Het is winter in Mone-Daun. Dat betekent sneeuw en ijs.'

Ranga maakte een kalmerend gebaar. 'Laat me er nu maar even over denken. En ik wil in elk geval met Firi overleggen.'

'Dat begrijp ik.' Gehoorzaam zijn en stoppen met doorvragen was de beste aanpak nu, wist Madhu. Hij stond op en gaf zijn oom een kus. 'Welterusten.'

'Goed zo, jongen. Ik hoop dat je nog een beetje kunt slapen.'

Terug in zijn kamer liep Madhu peinzend het balkon op. Een man die in zijn eentje en onbewapend een gepantserde vrachtwagen stopt, twee bewakers overmeestert en met de buit een sneeuwstorm in loopt. Wat een verhaal.

Hij probeerde zich voor te stellen hoe het eruit zou zien als er een sneeuwstorm over zijn stad zou razen. De met goud beklede daken van het koninklijk paleis in de verte zouden niet het gebruikelijke warme oranje flakkeren, maar hagelwit zijn.

De wachters op de muren zouden bontmutsen dragen. Op het pleintje pal onder Madhu's balkon zouden zwerfkatten op zoek naar warmte bij elkaar in een hoek kruipen, in plaats van te vechten om een plek op de koele stenen rondom de waterput. Er zouden ijspegels hangen aan het huisje dat twee verdiepingen lager op het platte dak was opgericht voor Kalo, het aapje van de benedenburen.

Maar het had in Imovara nog nooit gevroren, en Madhu wist dat het onwaarschijnlijk was dat dit ooit zou gebeuren.

Hij liep weer naar binnen en zuchtte bij de aanblik van zijn bed. Hij had geen zin meer om te gaan liggen. Daarom besloot hij de spullen bij elkaar te zoeken die hij nodig kon hebben tijdens zijn bezoek aan Mone-Daun.

II

Woensdag 4 december 1538, ochtend

Het is zover. Eindelijk komt die blauwige damp uit het keteltje dat ik al uren aan het verhitten ben. Een scherpe geur prikt in mijn neus. Dit gaat goed. Ik wakker het vuur nog wat aan met de blaasbalg.

Nu twintig seconden aan de kook houden. Zweetdruppels, zowel van de concentratie als van de hitte in de stookplaats, lopen over mijn voorhoofd en blijven kriebelend hangen in mijn wenkbrauwen. Barhennio plaagt me altijd met de beharing boven mijn ogen. Volgens hem lijken mijn wenkbrauwen op die van de oude wachter met dat driepotige hondje aan de Westpoort. Maar dat uiterlijke kenmerk komt me nu in ieder geval goed van pas; op dit belangrijke moment wil ik noch zout lichaamsvocht in mijn ogen krijgen, noch een ogenblik een hand vrijmaken om mijn voorhoofd af te vegen.

'Vier ... drie ...' Ik pak de ketel met een lange tang van het vuur. Met het gloeiende koper voor me uit, ren ik de acht houten treden op naar boven, door de kamer en na een trap tegen de voordeur naar buiten.

'Eén.' Onmiddellijk na de laatste tel duw ik het keteltje diep in het dikke pak sneeuw dat op straat ligt. Het gesis klinkt als dat van een verstoorde adder. Langzaam loop ik heen en weer door de steeg, de tang naar beneden, dampende banen trekkend door de sneeuw.

Als het keteltje uiteindelijk zo is afgekoeld dat de sneeuw er *niet meer door smelt, giet ik de inmiddels teerachtige inhoud voorzichtig over in een tinnen buisje dat ik met een kurk afsluit. Ik leg het buisje op de grond en ik dek het toe met een aantal handen verse sneeuw en een stuk of twintig ijspegels. Nu komt het erop aan om de stof in tien minuten zo veel mogelijk te laten afkoelen, het liefst tot onder het vriespunt.*

Afgelopen zomer, toen ik de laatste hand aan mijn recept legde, realiseerde ik me dat ik tot de winter geduld moest hebben voor deze stap in de bereiding. Het was toen begin juni en het begint in Mone-Daun op zijn vroegst te vriezen in november. Dat betekende nog zeker vijf maanden wachten en de Orde was toen al tegen Barhennio aan het klagen dat het te lang duurde. Daarom wilde ik iets uitvinden dat kou bewaarde, het tegenovergestelde van een oven. Een ruimte waarin je dingen kon bevriezen. Ik moest verder werken. Voor mijn meester.

'Wat ben je nu toch weer aan het uitbroeden?' vroeg Barhennio toen ik avond aan avond aan tafel zat te ploeteren op het ontwerp van zo'n koelinstallatie. 'Je was toch klaar met je alternatieve mengseltje?' Hij geloofde nauwelijks in mijn toevoegingen aan zijn eigen formule. Maar tot die dag hadden mijn probeersels hem nog niet kwaad gemaakt.

'Dit wordt een kast met vorst erin,' antwoordde ik. 'Een vorstkast. Ik vind het woord koudekast ook mooi.' Tevreden hield ik mijn werk omhoog. 'Een apparaat als dit zou heel handig voor ons zijn. Je kunt er substanties in koelen en bevriezen, maar volgens mij ook etenswaren langer in bewaren. Vlees laten we als het vriest toch gewoon buitenhangen zonder dat het bederft? In deze kast is het altijd winter. Dat zou betekenen dat we geen gepekeld vlees meer hoeven te kopen. Nooit meer die nare zoute

smaak.' Dat laatste voegde ik met een knipoog toe aan mijn presentatie om mijn meester een beetje te paaien. Barhennio vindt het namelijk een doodzonde om vlees in met zout verzadigd water te leggen.

'Drozier, je bent doorzichtiger dan kristal. Ik weet toch waarvoor jij lage temperaturen nodig hebt. Niet zodat ik geen pekelvlees meer hoef te eten. Vertel op, hoe zou een dergelijke koudekast volgens jou werken?'

'We laten heel veel brokken ijs meebrengen uit het Ravomunmassief. Die leggen we in deze kast, op een plek die altijd koel is, ook in de zomer. Bijvoorbeeld in een diepe kuil achter in de kelder, op die plek waar soms koud water naar boven komt. En het geheel bedekken we weer met hout en kurk, of misschien zelfs met de wol waarvan uw mantel is gemaakt. Zo blijft de kou binnen en de warmte buiten.'

Op dat moment dacht ik al te zien dat Barhennio mijn plannen belachelijk vond en dat hij zijn geduld op een vreselijke manier aan het verliezen was. Maar in mijn enthousiasme ratelde ik gewoon verder: 'En ik heb nog een theorie om warmte om te draaien naar kou. Dat moet op de een of andere manier mogelijk zijn. Ik dacht met een bepaalde vloeistof die ...'

'Genoeg, genoeg van die waanzin!' Barhennio spuugde op de grond. Speeksel zo giftig dat ik er niet van had opgekeken als het zich op dat moment dwars door de vloer had gevreten. 'IJs bewaren? Warmte omdraaien naar kou, met vloeistof? Je klinkt als zo'n dwaze gelukzoeker die lood in goud denkt te kunnen veranderen. Je tergt me tot het uiterste! Ik sta bekend als een tolerante meester, waarschijnlijk ben je de enige leerling in heel Mone-Daun die eigen proeven mag uitvoeren. Dat laat ik toe omdat je af en toe – nee, ik moet zeggen heel soms – interessante ideeen hebt. Maar ik ben geen onnozelaar. Ik wil geen mikpunt van spot worden voor de ordeleden. Of een zwarte magiër in de ogen van de geleerden van de Universiteit. Wat denk je dat er wordt gezegd over een meester-chemicus die zich bezighoudt met het conserveren van ijs en smeerseltjes van salamanderorganen? Wil je soms dat we op de pijnbanken van het gerechtshof eindigen?'

De woede van mijn meester was niet meer te bedwingen. Ik had een grens overschreden. Snuivend maakte hij de riem los die om zijn middel zat. Ik vluchtte naar de uitgang, maar kon niet voorkomen dat de grote zilveren gesp een paar keer ongenadig hard op mijn rug en hoofd belandde en mijn huid liet openspatten.

'Uit mijn ogen! Ongehoorzaam wicht!' had Barhennio me nageschreeuwd vanuit de deuropening, woest zwaaiend met die riem van hem. 'Het is voorbij met jouw duistere privé-experimenten!' Passanten en bewoners van de straat stonden toe te kijken. Er werd schande gesproken, vooral van mij.

Sinds die dag werk ik alleen nog in het geheim. Ik controleer twee keer of alle instrumenten en de kelder schoon en opgeruimd zijn, lang voordat Barhennio thuiskomt. Zo zal hij nooit een spoortje vinden van mijn inspanningen.

Heel af en toe, wanneer er een extra paar handen nodig is, krijg ik hulp van Astil van de overkant. Hij zal nooit iets verder vertellen wat mij in de problemen zou kunnen brengen.

Ik huiver. Ik sta binnen maar met de deur op een kier, zodat ik mijn blik op het bergje sneeuw en ijs kan houden. De laatste korrels grauw zand glippen naar het onderste gedeelte van mijn zandloper en geven aan dat de laatste van de tien minuten voorbij is.

Hoewel hij zich steeds zelfstandiger ging voelen en gedragen, stelde de twaalfjarige Madhu het gezelschap van zijn oom Ranga – zeker in bepaalde situaties – nog altijd erg op prijs. Hij zou het bijvoorbeeld prettig hebben gevonden als hij Ranga's hand had kunnen vasthouden tijdens het opstijgen, de turbulentie boven zee en de landing. Maar de onbegeleide aankomst op het vliegveld van Mone-Daun had Madhu niet willen missen; dat was namelijk een moment geweest waarop hij een voorproefje had gekregen van hoe het ongeveer moest voelen om volwassen te zijn.

Het vliegtuig was net tot stilstand gekomen. De deur zwaaide open en aangezien Madhu helemaal voorin had gezeten, kwam hij als allereerste naar buiten. Onmiddellijk brak er een straal winterzon door de wolken heen, die alleen op hem leek te schijnen, alsof hij door een hogere macht werd bijgelicht. Madhu vleide zich met de gedachte dat hij boven aan die trap verscheen als een avonturier, een ervaren reiziger die ondanks zijn jonge leeftijd al meer van de wereld had gezien dan de meeste volwassenen.

Het groepje mensen dat beneden stond te wachten, keek nieuwsgierig toe hoe Madhu de trap af kwam lopen. Van een aantal durfde Madhu zelfs te zeggen dat ze naar hem staarden, en niet omdat ze hem eigenaardig vonden vanwege zijn tulband of iets dergelijks; nee, hij kon aan hun blikken aflezen dat hij een zelfstandige indruk op hen maakte. Zijn entree was geweldig.

Dat er meteen een man – lichtblauw uniform en vliegeniers-bril – kwam aangelopen om zijn koffers aan te nemen, deed misschien een beetje afbreuk aan Madhu's tijdelijke imago van onafhankelijke eenling.

'Ik ben Marrus,' zei de man in het blauwe uniform. 'Meneer Andama staat op je te wachten. Loop je mee?'

Marrus leidde Madhu snel weg van het vliegtuig. Ze liepen door een hangar en staken eenmaal weer buiten een aantal asfaltwegen over waar tankwagens af en aan reden.

Op de hoek bij een donkerrode hangar hield Marrus halt. Er klonk een hard, gonzend geluid, alsof er vlakbij een enorme wesp rondcirkelde.

'Ik zou je tulband nu maar goed vasthouden,' riep Marrus in Madhu's oor, voor hij achter de hangar verdween. En hij zei het met een goede reden, want het moment dat Madhu een stapje om de hoek zette, was er een ongelofelijke wind die zijn gezicht afranselde en driftig aan zijn kleren trok. Sneeuwvlokken wervelden omhoog en verstopten zijn ogen. Het lawaai was oorverdovend. Door zijn tranen heen zag hij een rond, plat voorwerp in de lucht zweven, ongeveer tien meter boven hen.

'Omhoog!' Marrus was weer opgedoken. Hij had zijn vliegbril opgedaan en wees op een touwladder die in de wind kronkelde. Madhu's koffers had hij aan een kabel gehaakt.

'Omhoog?' gilde Madhu.

Marrus pakte Madhu op en zette hem op de ladder. 'Ja! Ik kom zo!'

Moeizaam begon Madhu naar boven te klauteren, worstelend met de gierende luchtstroom die door vier propellers onder het zwevende gevaarte naar beneden werd geblazen. Zijn oren suisden en de kou van de metalen trapsporten verstijfde zijn handen. In het midden van het toestel werd een gat zichtbaar waar licht doorheen viel. Een gedaante keek over de rand.

De laatste meters omhoog voelde het alsof de huid van zijn gezicht werd geblazen, en Madhu was blij toen de met gouden ringen versierde handen van Firi Andama zijn polsen pakten en hem door de opening omhoogtrokken.

Bovenin was het geraas meteen verdwenen – vriendelijk snorren was het enige dat herinnerde aan de wervelstorm die aan de onderkant woedde.

'Mijn trouwe vriend!' Andama's omhelzing was zo innig dat Madhu tien seconden lang geen kans zag adem te halen. 'Je weet niet half hoe goed het me doet je te zien, jongen. Heb je een aangename reis gehad?'

'Zeker, dank u,' zei Madhu terwijl hij onopvallend wat haar van Andama's bontjas uit zijn mond haalde. 'Hoe is het met u?'

Andama's gezicht betrok een ogenblik. 'Daar hebben we het zo over; dat is een lang verhaal. Zeg eerst eens wat je vindt van mijn nieuwe vliegmachine?'

Madhu bekeek het plateau waarop ze stonden en knikte. Acht comfortabel uitziende stoelen stonden langs de rand. Iedere zitplaats was met zwart leer bekleed en afzonderlijk overdekt door een aerodynamisch vormgegeven afdakje. Bij de opening in het midden stond de bestuurdersstoel. Het instrumentenbord zag er opvallend simpel uit: een paar tellers, een schakelaar en twee halve bollen die Madhu vond lijken op kompassen. De vloer was van glanzend, zwart staal met antislipprofiel.

'Het ziet er heel modern uit,' zei Madhu. 'Snel ding zeker?'

'Dit is een geweldig apparaat – zonder lastige vleugels, je kunt er verticaal mee opstijgen en landen, horizontaal vliegen, stilhangen als een roofvogel boven een veld. De Tor is sneller en wendbaarder dan een helikopter, maar geluidloos als een zeppelin.'

'Als je eenmaal bovenin zit wel, ja.'

'Wat bedoel je?'

'Hier hoor je inderdaad bijna niks. Maar dat kun je je nauwelijks voorstellen als je aan de andere kant aan een ladder hangt.'

Andama lachte, waarbij zijn gouden kiezen blikkerden in de zon. Madhu moest denken aan de paleisdaken in Imovara. 'Mijn excuses voor de ongemakkelijke manier van opstappen, Madhu. Maar het luchthavenbestuur heeft me nog steeds geen toestemming gegeven voor het bouwen van een landingsplaats. Ze zijn bang dat een tien meter hoog torentje gevaar zou opleveren voor de luchtveiligheid. Normaal gesproken stap je comfortabel in op het dak van een gebouw, wanneer die rotoren nog niet draaien.'

'Ach, het was wel spectaculair zo,' zei Madhu met een schouderophaal.

Iemand die niets wist van Andama's afwijking, zou zich afvragen waarom hij zijn luchtschip niet even verderop aan de grond had gezet, zodat zijn gast gemakkelijk aan boord had kunnen klimmen. Maar Madhu wist dat hij onmogelijk van Andama kon verlangen de afstand tussen hem en de aardbodem kleiner te maken dan tien meter. Madhu was goed op de hoogte van Andama's laagtevrees.

De eerste symptomen van Andama's zeldzame aandoening werden zichtbaar gedurende zijn eerste studiejaar. Van de ene dag op de andere kon hij de colleges die in de kelder van het universiteitsgebouw werden gegeven niet meer bijwonen, omdat hij zich daar duizelig en misselijk voelde. Niemand begreep waarom hij opeens verhuisde naar een van de drie onpopulaire, snikhete kamertjes helemaal boven in de studentenflat.

De aandoening kreeg in hoog tempo steeds meer vat op hem. Het werd voor Andama onmogelijk om een leven te leiden dat als normaal bestempeld kon worden. Terwijl zijn medestudenten zochten naar bijbaantjes in bars waar veel vrouwen kwamen, verdiende Andama zijn zakgeld als glazenwasser, hoog op een ladder.

Hij durfde zich nauwelijks meer op straatniveau te begeven en viel op slechte dagen zelfs flauw wanneer hij vanuit zijn kamer keek naar anderen die dat wel deden. Zijn eigenaardige gedrag kostte hem bijna al zijn vrienden; alleen zijn jaargenoot Ranga Mahavir bleef hem geregeld opzoeken.

De genadeslag kwam op de dag waarop Andama urenlang vastzat in de lift van zijn flat, die was blijven steken bij de ondergrondse parkeergarage. De hysterische toestand waarin zijn bevrijders hem aantroffen, hield ruim negen dagen aan. Pas na vijf weken vonden de dokters het verantwoord hem uit het psychiatrisch ziekenhuis te ontslaan.

Sindsdien is Andama nooit meer lager gegaan dan tien meter boven het aardoppervlak.

Hij zette definitief een punt achter zijn studie geneeskunde en besloot zijn geluk te beproeven in de handel. Dit bleek een goede beslissing, want na een paar maanden boekte hij al groot succes met de invoer van handgeblazen, glazen kralen die de toenmalige trendsetters van Mone-Daun omarmden en verwerkten tot enkelbanden. Van deze kralen verkocht Andama er uiteindelijk meer dan zeven miljoen wereldwijd, wat hem genoeg opleverde om niet alleen zijn kamer maar de hele bovenste verdieping van zijn huisbaas op te kopen.

De zaak werd uitgebreid en de glazen kralen werden half-edelstenen en edelstenen. Er kwamen ook zaken op gang in meubels, oude schilderijen, moderne beeldhouwwerken, bont en siervissen. Andama B.V. leek aan elk luxegoed een fortuin te kunnen verdienen.

Toen Andama na een paar jaar het hele flatgebouw opkocht, liet hij onmiddellijk de parkeergarage waaraan hij zulke vre-selijke herinneringen had, vollopen met beton. Het steen van de vloeren en plafonds op de twee bovenste verdiepingen werd vervangen door gehard glas, om altijd goed zicht te hebben op hoe hoog hij zat.

Andama's dieet bestond nog steeds exclusief uit gevogel-te of vee dat nooit beneden de duizend meter had geleefd. Groenten, fruit en granen werden speciaal voor hem op grote hoogte geteeld en dit alles werd bereid in gletsjerwater, op houtskool van bomen die rond de boomgrens groeiden.

Madhu en Ranga konden samen altijd erg lachen om Andama's eigenaardigheden en zijn ziekelijke spilzucht. Sinds Madhu deze vriend van zijn oom kende – vanaf zijn achtste – beschouwde hij hem als een curieuze, maar heel dierbare oom.

'En daar is mijn trouwe piloot en chauffeur.' Andama knikte naar de opening in het midden van de Tor, waar Marrus met verwarde haren tevoorschijn kwam.

'Marrus, volle snelheid naar het hoofdkwartier. We moeten mijn jonge privédetective meteen van alles op de hoogte brengen.'

Niet veel later zaten twee van Andama's hoogste beveiligingsfunctionarissen op de grijze bank in de woonkamer op de bovenste verdieping van het Andama-gebouw. Ze roerden synchroon in hun kopje koffie en keken toe hoe hun werkgever foto's aan Madhu liet zien die waren gemaakt rond de plaats van de overval op wagen acht. Afbeeldingen van slipsporen over de weg, de deuk in de wagen, een zwartgeblakerde kogelhuls, het touw waarmee de chauffeurs aan het stuur waren gebonden, het witte lapje met de geborduurde letters, de bekraste zijkant.

'S.P. en 0 en 1. Horen die letters en cijfers bij elkaar? Is het S.P. 01?' zei Madhu toen hij een detailopname van de in de lak gekraste cijfers en de geborduurde letters bestudeerde.

'Dat is denkbaar,' zei Andama. 'We hebben niets om mee verder te gaan. Het is een groot raadsel.'

'Maar wat bent u kwijtgeraakt?' Madhu pauzeerde even om door het transparante dak naar een overkomend vliegtuig te kijken. Wit en rood schijnsel van de knipperende landingslichten reflecteerde op het gelakte oppervlak van de tafel midden in de kamer. 'Er moet wel heel wat in die kist hebben gezeten, anders zou u niet zo van streek zijn.'

'Er zat iets in dat heel veel ellende oplevert nu we het kwijt zijn,' zei Andama.

'Maar als de lading van de vrachtwagen inderdaad zoveel waard was, begrijp ik niet goed waarom u die maar door twee mannen liet bewaken.'

Andama knikte naar de functionarissen op de bank: 'Zie je hoe uitgeslapen deze jongen is?'

'Een goed punt, Madhu,' zei de functionaris met de rode stropdas. 'Zaken die echt heel veel geld waard zijn, vervoeren we inderdaad niet in een gewone vrachtwagen. Maar we zijn ook niet beroofd van iets dat feitelijk heel veel geld waard was.'

'Vergeleken met mijn jaarlijkse winstcijfers is het financiele verlies van deze diefstal inderdaad heel klein,' zei Andama. 'De standaardafwegingen voor hoe bepaalde handelswaar vervoerd en bewaakt moet worden, heeft hier gefaald.' Hij blikte kort naar de twee mannen op de bank, zijn wenkbrauwen opgetrokken.

'We hebben een eventueel probleem over het hoofd gezien; de subjectieve waarde van de handelswaar,' gaf de functionaris met de grijze stropdas toe.

'Subjectieve waarde?' vroeg Madhu. 'Wat bedoelt u?'

'De meer persoonlijke waarde die ergens aan wordt gehecht. Er zat een roze diamant in de kist die gestolen is. Een die Het Ochtendgloren van de Liefde genoemd wordt,' zei de rode stropdas.

'En die diamant is u veel waard? Om persoonlijke redenen?' vroeg Madhu aan Andama.

'Och, welnee jongen. Hoe zeldzaam ook, om zo'n gekleurde steen geef ik niets; in mijn opslag ligt momenteel misschien wel tweehonderd karaat aan edelstenen waar ik nooit naar omkijk,' zei Andama. 'Nee, een zekere klant van me hecht er heel veel waarde aan. En dan vooral aan de zoetsappige naam ervan.'

'Dendessi Mirov heeft Het Ochtendgloren van de Liefde bij ons besteld. Hij wil hem aan zijn aanstaande vrouw geven.'

De rode stropdas wees naar zijn ringvinger. 'Als versiering van haar trouwring.'

'En Dendessi Mirov heeft een erg slechte reputatie,' zei Andama.

'Zeg maar gerust dat het een misdadiger is,' vulde de rode das hem aan.

'Mirov is de zware jongen van de zware jongens. En hij is echt nijdig, omdat wij zijn diamant niet meer hebben,' zei Andama.

'O,' zei Madhu. 'Maar kunnen ze geen andere steen van u nemen? Waarom geeft u die Mirov niet een nog groter juweel? En dan zegt u erbij dat die de … De Rots van de Eeuwige Trouw heet.'

Andama lachte. 'Helaas Madhu, zo simpel is het niet. Mirovs verloofde heeft weinig gevoel voor humor. Zeker als het om haar trouwring gaat. Mirov en zijn griezelige lijfwachten waren hier een paar dagen geleden om mij duidelijk te maken dat ze specifiek deze steen moeten hebben, inclusief het certificaat van echtheid dat ook gestolen werd. Hij heeft zijn verloofde gezworen dat hij Het Ochtendgloren van de Liefde op tijd voor haar heeft. Op hun trouwdag.'

'En wanneer is die trouwdag?'

'Morgen over drie weken. 30 januari.'

'En als de steen tegen die tijd niet terug is?'

'Dan zal ik beduidend meer geld moeten gaan uittrekken voor mijn persoonlijke beveiliging,' zei Andama.

5

Elk van de vijfendertig lichtjes op het paneel knipper-de ongeveer een halve seconde, telde Madhu. Hij hield de secondewijzer van Marrus' horloge aandachtig in de gaten. De lift kwam tot stilstand. Negentien seconden. BG van Begane Grond was verlicht. De deuren schoven open, Marrus de chauffeur ging hem voor. Honderdvijftien meter in negentien seconden. Madhu's hersenen vonkten: driehonderddrieënzestig, ongeveer tweeëntwintig; een lift die bijna tweeëntwintig kilometer per uur naar beneden gaat.

In de hal van Andama's flatgebouw waren negen mannen in uniform aanwezig. Ze lieten hun walkietalkies piepen voor ze erin praatten, keken naar beeldschermen en bestuurden camera's op afstand.

'Standaardvoorzorgsmaatregelen.' Marrus zag Madhu's verwonderde blik. 'Heeft niks te maken met deze diamantzaak.'

Ze stapten door de draaideur het morgenlicht in. Vorst prikte in Madhu's neus en maakte zijn adem zichtbaar. Mone-Daun was al uren wakker. Stromen mensen met dikke jassen, dassen en mutsen dreven elkaar voort over de stoep, op weg naar werk, school of ergens anders. Een enkeling dacht lopend een krant te kunnen lezen. Voorbij de mensenmassa zag Madhu het wemelende verkeer: ronkend optrekkende bussen, taxi's die stopten voor mensen met bekers koffie. Zigzaggende brommers en motoren reden een langere maar iets snellere route.

'We staan hier, Madhu,' zei Marrus. Hij wees naar een enorme, zwarte auto die met knipperende lichten langs de stoep stond.

De vorige dag, na Andama's uitgebreide uitleg, had Madhu gevraagd of hij zelf eens mocht praten met Dalkin, de oudste van de twee overvallen chauffeurs. Het liefst zou hij beide chauffeurs ondervragen, maar Bastan werd op grond van zijn verklaringen nog door de politie vastgehouden onder verdenking van medeplichtigheid.

'Ik zorg ervoor dat er vanavond nog een afspraak met Dalkin wordt gemaakt,' had Andama gezegd. 'We hebben geen tijd te verliezen. Marrus zal je er morgenochtend heen brengen.'

Na twintig minuten rijden hadden Madhu en Marrus het zakelijk district achter zich gelaten. Hier zagen ze geen winkel- en kantoorpanden met spiegelende ramen en entrees van donker marmer, maar gelijkvormige huizenblokken van rode baksteen. Rook steeg op uit schoorstenen. Hier bleven de mensen achter die niet op hun werk hoefden te zijn.

Bejaarden sloften met plastic boodschappentasjes een kruideniserszaakje binnen, een hond plaste tegen een lantaarnpaal terwijl zijn eigenares aan een sigaret trok. Twee als boksers uitziende, joggende mannen sprongen over vuilniszakken langs de kant van de weg.

'Dixelboulevard 244, hier woont Dalkin. Zal ik met je meelopen?' vroeg Marrus terwijl hij de auto parkeerde.

'Nee, bedankt. Ik vind het wel. Appartement C, toch?' zei Madhu.

Marrus keek in zijn notitieboekje. '244 C. Klopt.'

'Tot zo dan.'

'Ik wacht hier voor de deur,' riep Marrus Madhu na.

Een halfuurtje later kwam Madhu weer uit de portiek lopen.

'En?' vroeg Marrus toen Madhu was ingestapt. 'Hoe ging het?'

'In het begin wat stug. Ik geloof dat Dalkin het eerst wat raar vond dat meneer Andama een jongen van twaalf stuurde om nog eens met hem te praten.'

'Hm. Ben je wel wat te weten gekomen?'

'Ja, na tien minuten praten ging het prima. Het is goed dat ik even gegaan ben.'

'Mag ik je iets vragen? Hierover?' vroeg Marrus toen hij doorhad dat Madhu niets uit zichzelf ging vertellen.

Madhu knikte.

'Die nieuwe, die Bastan, denk jij dat die medeplichtig is? Ik kan me echt niet voorstellen dat hij iets met een overval te maken heeft. Het leek me zo'n goede jongen; groen als gras.'

'Nee, ik heb het gevoel dat de politie hem onterecht vasthoudt. En dat denkt Dalkin ook. Maar toch, je weet het nooit zeker. Mensen doen vaak onverwachte dingen.'

'Dat is waar,' beaamde Marrus. Hij dacht aan zijn vrouw, die hem een paar jaar geleden had verlaten om als matroos de wereld te kunnen rondreizen.

'En nu? Waar wil je nu heen? Meneer Andama heeft mij en de auto de hele dag tot jouw beschikking gesteld.'

'Misschien kunnen we even gaan kijken op de plek van de overval en dat parkeerterrein waar de vluchtauto stond?' Madhu keek naar de klok op het dashboard. Bijna kwart voor een. Kwart voor zes 's avonds thuis in Imovara.

III

Woensdag 4 december 1538, middag

Aan Barhennio's manier van de deur openmaken hoor ik dat de wekelijkse bijeenkomst met de Orde niet naar zijn zin is verlopen. Daarom neem ik glimlachend zijn besneeuwde mantel aan en leid ik hem snel naar de tafel bij het vuur. Als geen ander weet ik dat ik op dit soort momenten mijn meester het best zo snel mogelijk eten en wijn geef.

'Ze hebben nu helemaal geen vertrouwen meer in me.' Hij steekt meteen van wal, blijkbaar was het een buitengewoon vervelende middag. Mijn inschatting is dat ze opnieuw hebben voorgesteld dat mijn meester door een buitenstaander moet worden geholpen bij het maken van de balsem.

'Karmonte, Maurall en Cogluas begonnen weer. Hun ongeduld is ergerniswekkend. Beledigend zelfs.'

'U moet niet vergeten dat zij de drie oudsten van de Orde zijn,' zeg ik. 'Zij kunnen niet lang meer wachten. De een hoest haar longen uit haar lijf, de ander loopt met de dag krommer en de laatste is doodsbenauwd om stramme vingers te krijgen.'

'Dat weet ik, dat weet ik. Maar is dat een reden om opnieuw te dreigen met het inroepen van andermans hulp? Als ik over twee maanden niet klaar ben, gaan ze praten met die Alminus Uga.'

Net wat ik al dacht.

Uga is een jonge chemicus met een aanstelling bij een laboratorium in het nieuwe kwartier van de stad. Als familielid van Trismegista en oprechte wereldverbeteraar zou hij inderdaad een goede kandidaat zijn voor de Orde. Maar mijn meester ziet in Uga ongetwijfeld een rivaal, in plaats van een behulpzame geestverwant.

Barhennio staart naar de deur die toegang tot de kelder geeft. 'Ik wil de geschiedenis in als de grondlegger. Zonder de hulp van een ander.'

'We krijgen het wel voor elkaar,' zeg ik. 'Let maar op.'

'We? Zei je "we krijgen het wel voor elkaar"?'

Het laatste waar ik zin in heb, is een geestdodende preek of een verhoor, dus ik duw een houten lepel in Barhennio's hand en zeg stroperig: 'Ik bedoelde "u". U krijgt het voor elkaar. Eet smakelijk.'

Nauwelijks gerustgesteld neemt mijn meester een hap van de koolsoep met lamsvlees. En nog een. De volgende gevulde lepel laat hij rusten op de rand van de kom. Zijn ogen zijn naar beneden geslagen, deels beschaamd, deels geërgerd over wat hij gaat zeggen. 'Ik heb beloofd dat ik klaar ben op de zevende vrijdag na de wintermarkt.'

'De zevende vrijdag na de wintermarkt?' herhaal ik zo neutraal mogelijk. 'Dat is over iets meer dan zeven weken. Eind januari.' Is mijn meester gek geworden?

'En dat gaat me lukken. Gemakkelijk.'

'Ik heb alle vertrouwen in u', zeg ik. Maar eerlijk gezegd vrees ik meer voor mijn meesters verstand dan dat ik er geloof in heb – hij heeft de laatste maanden geen enkele vooruitgang geboekt. Zijn werk is uitzichtloos.

Er valt een stilte.

'En het is wel te merken dat de rest niet zo'n grote verantwoordelijkheid heeft als ik,' zegt Barhennio.

'Wat bedoelt u?' vraag ik.

'Andere ordeleden hebben duidelijk alle tijd om na te denken. Tegenwoordig zijn er iedere week wel weer nieuwe opvat-

tingen en ideeën. Vandaag bijvoorbeeld hebben we weer eens uitgebreid gediscussieerd over het hoofddoel van de Orde.'

'U wilt toch heel oud worden en anderen gelukkig maken?' zeg ik.

'Wij willen ons hopelijk nog lange leven gaan gebruiken om onze naasten gelukkig te maken, inderdaad. Maar Trismegista en Civitato hebben een paar filosofische werken gelezen en twijfelen over de manier waarop we anderen kunnen helpen om gelukkig te worden. Ze vinden dat geluk een volkomen persoonlijk gevoel is dat voor iedereen een andere inhoud heeft. Civitato gaat nog verder en stelt zelfs dat het theoretisch onmogelijk is om voor een ander te bepalen wat geluk is. "Mijn allerbeste ordegenoten,"' Barhennio trekt zijn mondhoeken naar beneden en blaast zijn wangen op, *'"men kan toch onmogelijk voor onbekenden bepalen wat hen tevreden maakt? Dat is toch je reinste waarzeggerij?"'*

Ik moet hard lachen: mijn meesters imitatie van het gezicht en de gezwollen stem van Civitato was geweldig.

'Volgens mij, Olmander en Maurall is dat egoïstische onzin. Wij weten zeker dat er bepaalde dingen zijn waardoor iedereen zich goed voelt.' Barhennio kijkt me argwanend aan; blijkbaar valt er aan mij af te lezen dat ik het niet helemaal met hem eens ben. *'Wat denk jij ervan, Drozier? Bestaat algemeen geluk? Of steun je Civitato's opvattingen?'*

'Neemt u mij niet kwalijk, maar ik vind dat Civitato ergens wel gelijk heeft,' antwoord ik na even nadenken. *'Ieder mens wordt van iets anders gelukkig, echt gelukkig. Als je algemene basisbehoeften als eten en een dak boven je hoofd al hebt, zijn de dingen die een tevreden gevoel geven voor elk individu anders.'*

'Moeten we alle liefdadigheid dan maar vergeten en alleen

voor onszelf opkomen? Omdat toch iedereen wat anders nodig heeft om blij te zijn?'

'Nee, dat ook weer niet. Je zou eigenlijk per persoon moeten nagaan wat je voor hem of haar kunt doen.' Ik peins nog even. 'Maar anderen proberen te helpen is ook al heel wat. Het gaat toch net zo goed om de poging, het plezier dat ordeleden krijgen van liefdadig zijn?'

'Wat bedoel je met plezier?'

'Ik bedoel dat u best mag genieten van het prettige gevoel dat u krijgt van goed zijn voor anderen.' Ik hoor dat ik mezelf klem praat over iets waar ik te weinig vanaf weet.

'Aha, dus je wilt zeggen dat we aan onze medemens moeten geven zodat we onszelf goed voelen? Een soort egoïstische liefdadigheid, als ik het goed begrijp?' Barhennio lacht een lach zonder plezier. 'Mooie standpunten hou jij erop na. Jij bent nog erger dan Civitato.'

Ik vraag me af waarom ik doorga met het geven van eerlijke antwoorden. Alles wat ik nu tegen mijn meester zeg, wordt verkeerd begrepen, terwijl ik het goed bedoel. 'Ik kan me voorstellen dat het een prettig gevoel is om anderen gelukkig te maken,' zeg ik binnensmonds.

'Wat zei je, Drozier? Ik versta je niet goed, geloof ik.'

'Dat het goed voelt om iemand te helpen, meester,' zeg ik maar hardop. Schaakmat.

'En hoe kun jij dat weten?' Mijn meesters stem wordt lager. Ik vind hem eng als hij zo wordt. 'Help jij iemand dan? Mij soms?'

'Maar ik help u toch ook?'

'Denk je nu werkelijk dat je mij genoeg helpt om jezelf beter te kunnen voelen?'

Ik kan alleen maar mijn schouders ophalen. Tranen schroei-

en achter mijn ogen. Onuitgesproken woorden krassen mijn keel.
Misschien is het ook wel uit egoïsme dat ik probeer mijn mees-
ters droom te verwezenlijken; ik wil inderdaad iets terug doen
voor de man die mij al negen jaar onderdak biedt en eten geeft.
Voor deze autoritaire, ondankbare, koppige, soms zelfs onuit-
staanbare, maar ook zorgzame en briljante chemicus die mij zijn
vak leert. Barhennio wil de Orde onsterfelijk maken, en ik ben
vastbesloten hem daarbij te helpen. En het maakt me eerlijk
gezegd niks uit als ik dat gedeeltelijk doe om me beter te voelen
over mezelf.

'Hier, Marrus. Hier is het, denk ik.' In het voorbijrijden zag Madhu aan hun kant van de weg wat struikgewas. Even verderop aan de andere kant stonden drie bomen die hij van de foto's herkende als de plaats waar de overvaller de weg was opgestapt. 'Kunnen we hier ergens stoppen?'

'Ik keer wel even.' Marrus keek in zijn spiegels, minderde vaart en zette de auto met een geoefende draai op de baan in de tegenovergestelde richting. 'Bedoel je hier?' vroeg hij na vijftig meter terugrijden.

'Ja, prima,' zei Madhu. De auto werd langs de kant van de weg geparkeerd. 'Ik ga even rondkijken.'

De wind blies venijnig over de kale velden en droeg de geur van de zee en de haven. Hier en daar scharrelde een roodborstje in de sneeuw. Madhu en Marrus waren nu een paar kilometer van Mone-Daun verwijderd; vanwaar ze nu stonden, konden ze de oude stadsmuur en de Zuidpoort van de stad nog zien.

Weggedoken in zijn capuchon liep Madhu naar het groepje bomen in de berm. Hij probeerde zich in te denken hoe de overvaller zich op deze plaats had verborgen tot de wagen langskwam. Waarom draagt iemand die in een sneeuwlandschap rondloopt en niet wil opvallen in hemelsnaam een rode overall? dacht hij. Zou hij vanaf het begin zijn zinnen hebben gezet op de wagen van meneer Firi, of heeft hij hier gewoon staan wachten tot hij iets zag dat hem beviel? Dalkin had van zijn collega Bastan gehoord dat de overvaller van tevoren geen idee had van wat hij uit de wagen wilde meenemen. Dat zou betekenen dat de opmerking 'Ik vraag u open te maken omdat ik uw wagen moet overvallen', hoogstwaarschijnlijk niet duidde op een roof in opdracht van een ander. Want niemand geeft toch de opdracht een wagen te overvallen zonder te weten wat de buit is?

Madhu zakte door zijn knieën en veegde met zijn hand de laag verse sneeuw opzij. Hij zag dat het gras eronder was platgetrapt.

'Heb je wat ontdekt?' Marrus was ook uitgestapt en keek met zijn handen in zijn zakken op Madhu neer.

'Nee, niets nieuws. Tekenen dat iemand hier heeft gestaan.'

'De dader?'

'Ja, ik denk het wel.' Madhu stond op. 'Hij zat hier waarschijnlijk verstopt tot hij de weg op stapte. Dalkin heeft hem midden op de weg geramd en is daarna met de wagen in die struiken daar aan de overkant beland. Daar is de eigenlijke overval gebeurd. Laten we even kijken.'

Ze staken de weg over.

'Raar idee, dat hier pasgeleden een misdaad is gepleegd. Niks wijst er nu nog op.'

'Zo op het eerste gezicht misschien niet. Maar als je goed zoekt, is er altijd nog wel iets te vinden.'

'Wat dan?'

'Ze zijn toch na de botsing deze struiken in gereden? Ik denk dat je daar vast nog wel iets van ziet.' Madhu schudde sneeuw van de bosjes. 'Hier. Gebroken takken, je ziet de vorm van de voorkant van de wagen zelfs in de struiken staan.'

'Inderdaad, zo vanaf de weg schuin erin gereden.'

'Weet jij hoe lang die transportwagen precies was?' vroeg Madhu.

'Die waar Dalkin mee reed? Wagen acht? Ongeveer vierenhalve meter.'

Vanaf de struik maakte Madhu vierenhalve grote passen. 'Zou de achterkant van de wagen hier hebben gestaan, denk je?'

Marrus knikte en kwam naast Madhu staan. 'Zo ongeveer ja.' Hij keek nog eens naar de struik en naar hun voeten. 'Nee, nog iets verder, denk ik. Hier,' zei hij beslist na nog een kleine stap achteruit. Hij draaide zich om en hield zijn armen uit elkaar voor zich uitgestrekt. 'De laaddeuren zo.'

'Mooi.' Madhu begon sneeuw rondom de denkbeeldige wagen weg te vegen en de bodem die tevoorschijn kwam te bestuderen.

'Waar zoeken we naar?' vroeg Marrus.

'Afdrukken zullen we niet vinden in die bevroren grond. Maar misschien wel andere aanwijzingen: er kan bijvoorbeeld nog een tweede kogelhuls liggen die de agenten niet konden vinden, of misschien verloor de overvaller wel een knoop van zijn overall of zoiets.'

'Zou de politie niet alles al helemaal hebben uitgekamd?'

'Nee. Volgens meneer Andama hebben ze hier nauwelijks sporenonderzoek gedaan; er zijn alleen wat foto's gemaakt en de wagen is weggesleept. De politie neemt deze zaak niet al te serieus, wat ik eerlijk gezegd wel begrijp. Het is ook bijna geen overval te noemen: een man wordt aangereden en vraagt dan beleefd welke kist hij mag meenemen.'

'Ja,' zei Marrus lachend. 'Ze hebben waarschijnlijk wel zwaardere misdrijven op te lossen.'

Gedurende de vijfendertig minuten dat Madhu en Marrus de berm onderzochten, passeerde er slechts één auto. Op de achterbank zat een klein kind dat naar hen wees.

'Zullen we maar ophouden?' vroeg Madhu ten slotte. Hij blies op zijn verkleumde handen. Het was weer gaan sneeuwen. De overdrijvende wolken waren metaalblauw met klodders zwart.

Marrus knikte en kwam moeizaam overeind. 'Naar de Tranen dan maar?' Zijn gezicht bewoog nauwelijks meer toen hij sprak.

'De Tranen?'

'Wilde je niet de plek zien waar de vluchtauto geparkeerd stond?'

'Dat was toch op een parkeerterrein bij een soort kasteeltje, een kunstgalerij of zoiets?'

'De Stadsgalerij, in het Majeste-kasteel, inderdaad. Dat is bij de Tranen, hier een paar kilometer vandaan.'

Er stonden nog vier andere voertuigen op het met kale bomen omzoomde parkeerterrein: een witte auto van de kassier, een bordeauxrode auto van de conservator, een grijze motor van de zaalwachter en een paarse bus die stond te wachten op een lading bezoekers binnen. Geen enkele toerist in Mone-Daun sloeg immers een bezoek aan de Tranen en de Kleine Historische Galerij over.

De warme lucht uit de roostertjes in het dashboard maakten dat Madhu en Marrus besloten om het parkeerterrein eerst maar even vanuit de auto te inspecteren.

Madhu haalde kopieën tevoorschijn van het politiedossier, vertrouwelijke papieren die Andama naar eigen zeggen 'tegen een kleine vergoeding' had overgenomen van een 'vriend bij de politie'.

'Een medewerker van de galerij heeft de vluchtauto vanaf woensdag 3 januari in de namiddag zien staan. Leeg, zonder iemand erin. Daar.' Madhu wees naar de verste hoek van het terrein, waar een paar containers en wat dennenbomen stonden.

'Maar de roof was toch op donderdag?' vroeg Marrus.

'Ja. Dat betekent daarom hoogstwaarschijnlijk dat de overvaller de auto eerder neerzette, de stad weer in ging en de volgende dag terugkwam om de roof te plegen.' Want een nacht en een halve dag wachten in deze kou overleeft niemand. Ik denk dat hier in de buurt ook nergens een beschutte plek, verlaten huis of schuur is waar hij zich kan hebben schuilgehouden.'

'En wanneer is het ze opgevallen dat de auto weg was?' Marrus begon het detectivework leuk te vinden.

'Dat moet ik even precies nakijken …' Madhu bladerde door de politiepapieren. 'O ja, hier: *Menner (vaste schoonmaker van hoofdgebouw De Stadsgalerij) is op desbetreffende donderdag na sluitingstijd aanwezig. Iets na halfzes hoort Menner een autodeur slaan. Op dat moment is hij aan het dweilen in de gang op de eerste verdieping. Als Menner uit het raam kijkt, kan hij nog net zien hoe een man (klein postuur, rode overall, rode muts, zwarte schoenen) aan de bestuurderskant instapt en met de auto wegrijdt.'*

Madhu sloeg weer een bladzijde om en las verder voor. *'Om 18:48 belt een man (correct taalgebruik, middelbare leeftijd) het bureau Oud centrum 4 met de melding dat hij ten zuiden van de stadsmuur een overval heeft gepleegd en daarbij twee bewakers heeft vastgebonden.'*

'Twee uur na de overval. Dat had hij toch beloofd aan Dalkin en Bastan?'

'Precies, in dat opzicht is het wel een betrouwbare misdadiger. De politie heeft kunnen achterhalen dat de overvaller belde vanuit een telefooncel in het noorden van de stad. Het havenkwartier. Ken je dat?'

'Dat ken ik, ja. Geen beste buurt, niks voor iemand met zo'n deftig accent.'

'Hoe lang is dat rijden?' vroeg Madhu.

'Van hier naar het havenkwartier? Twintig, vijfentwintig minuten, een halfuur als je een trage chauffeur bent of pech hebt met het verkeer. Hoezo?'

'De overvaller belde de politie een uur en een kwartier nadat hij wegreed van dit parkeerterrein. En jij zegt dat het hoogstens dertig minuten rijden is naar de buurt waar de telefooncel staat. Waar was hij dan die overgebleven drie kwartier?'

'De auto wegzetten? Zich omkleden?' opperde Marrus. 'Ik zou eerst die opvallende rode overall uitdoen voor ik de straat op zou gaan voor een telefoontje.'

'Die kleren kan hij natuurlijk ook in de auto al hebben gewisseld. Misschien is hij eerst nog ergens anders heengereden. Toch naar een opdrachtgever?'

'Om de buit af te leveren. Zou kunnen. Zullen we even een pauze nemen en naar de Tranen en de galerij gaan kijken?' stelde Marrus voor. 'Je bent immers ook een beetje met vakantie. En ik moet bekennen dat ik hier zelf ook nog nooit binnen ben geweest.'

Ze renden door de sneeuw naar de ingang van het complex en passeerden de draaideur.

'Twee combinatiekaartjes?' vroeg de kassier toen Marrus en Madhu voor zijn loket verschenen. 'Die geven u toegang tot de Tranen, de galerij en de beeldentuin.'

'Prima.' Marrus haalde een paars briefje van vijftig tevoorschijn.

'Bedankt,' zei Madhu.

'Geen dank, meneer Andama trakteert. Eerst naar de Tranen dan maar?' Boven hen hing een bord met een pijl: *De Tranen van Mone-Daun.*

Via een gang kwamen ze in een grote, glazen constructie, gebouwd over vijf zwarte rotsblokken die verschilden in grootte maar allemaal dezelfde druppelvorm hadden. Het gras eromheen was keurig onderhouden.

Madhu wachtte tot een echtpaar klaar was met lezen en plaats maakte bij een van de bordjes aan de omheining.

Vijf zwerfkeien van zwart goulsteen.

De stad Mone-Daun dankt zijn naam aan de legende rond deze opmerkelijk gevormde rotsblokken, die de Tranen van de Zeedraak worden genoemd.

'Mone-Daun' is een verbastering van 'Meon e Dah-Hoene'. 'Meon' betekent 'tranen' in de oude taal en 'e Dah-Hoene' is te vertalen als 'van Zeedraak'.

De legende van De Tranen van de Zeedraak

Toen de eerste landontginners zich veertien eeuwen geleden rond de monding van de rivier de Nogar vestigden, zou er in de baai een zeedraak zwemmen die de nieuwe bewoners beloofde te beschermen, uit dankbaarheid voor hun gezelschap.

Maar in een zware storm werd de draak tegen de stroom van de rivier landinwaarts gevoerd, waardoor hij niet kon voorkomen dat er vijf kinderen omkwamen in een vloedgolf vanuit zee. De volgende ochtend lagen er vijf zwarte, druppelvormige rotsen op het land: gestolde tranen van de berouwvolle draak.

De huilende zeedraak en zijn vijf zwarte tranen zijn terug te vinden in het eerste en vierde kwadrant van het stadswapen van Mone-Daun.

'Mooi verhaal.' Madhu keek op naar Marrus, die over zijn schouder meelas.

'Zeker,' knikte die. 'Ik had geen flauw idee dat de naam van de stad daar vandaan kwam.'

Samen liepen ze nog een rondje om de drakentranen. Een groep van ongeveer twintig toeristen stond te luisteren naar een gids met een rode ballon in haar hand. Ze haalden camera's uit elkaars rugtassen en maakten een eindeloze hoeveelheid foto's.

Achter een ander gezelschap van iets oudere vakantiegangers aan schuifelden Madhu en Marrus via een andere gang richting de kunstgalerij in het kasteeltje.

In de muur van kalksteen was door bezoekers een clandestien gastenboek aangebracht. Namen, liefdesverklaringen en andere boodschappen van mensen van over de hele wereld stonden er vereeuwigd.

Een aantal teksten viel Madhu in het bijzonder op; sommige omdat de inhoud ervan hem boeide, andere vanwege hun opvallende uitvoering. *Lenna's liefde, Urodela is zalvend, Lotgevallen van P. en S.* en *1200*.

Toen Madhu de zaal binnen liep en het geborduurde wandkleed zag, werd het helemaal stil om hem heen. Een koude rilling gleed langs zijn onderrug omhoog. Ter hoogte van zijn schouderbladen herkende hij de sensatie, waarna de sidde-ring zich volledig ontvouwde. Een brom bleef nagalmen ach-ter zijn rechteroor. Het was het signaal van zijn gave.

In het midden van het meterslange kleed stond een grote, gele tent afgebeeld. Bij de ingang stond een man met een hoofd in zijn hand. Er liepen mensen in en uit de tent, en te zien aan hun opgeheven armen en lachende gezichten viel er iets te vieren. Overal hingen slingers met gele vlaggetjes. Om de feesttent heen waren stalletjes opgezet. Bij sommige werden afgehakte armen, benen en hoofden aangeboden. Andere kraampjes boden geïnteresseerden (en die waren er genoeg) de mogelijkheid hun behoefte doen op de hoofden van man-nen en vrouwen in rode gewaden. Tussen de bedrijvigheid door renden ook weer mensen in rode pijen, opgejaagd door het volk met fakkels, speren en zwaarden. Overal laaiden brand-stapels. Iedereen was opgetogen, behalve degenen die rode kledij droegen. De afbeelding was zowel lachwekkend als grie-zelig.

Rondom deze afbeelding stonden vijf andere voorstellin-gen, die met de klok mee genummerd waren. En de tweede van deze vijf taferelen (waarbij de voor Madhu onbekende woorden *Spoliatio et Perturbatio* stonden geschreven) had in het bijzonder Madhu's aandacht getrokken: een ontspoorde koets die werd geplunderd door een figuurtje in rode kleding.

'Marrus, moet je dit zien,' zei hij zacht.

'Wat?' Marrus boog zich voorover en bestudeerde het bor-duurwerk.

'Dit is precies zoals de roof op meneer Andama's wagen

nummer acht.' Madhu wees aan op het kleed. 'Hier zie je de koets die wordt beroofd. Door een man in rode kleren. De eigenaar is vastgebonden aan de koets, net als Dalkin en Bastan aan hun wagen. En kijk, het is ook in het veld buiten de stad. Hier is de stadsmuur, en de poort. Volgens mij is het nog dezelfde Zuidpoort ook.'

'Allemachtig,' fluisterde Marrus. 'Je hebt gelijk; het lijkt wel een middeleeuwse versie van de overval.'

'En die tekst erbij. *Spoliatio et Perturbatio*. Afgekort S.P. Die letters stonden op het witte lapje geborduurd. Dat kan toch geen toeval zijn?'

Marrus gaf geen antwoord; hij staarde nu naar een ander gedeelte van het kleed, naar het eerste tafereel zo te zien.

'Marrus? Wat zie je?'

'Volgens mij heb je iets heel belangrijks ontdekt, Madhu. Kijk eens naar dit plaatje.' De wijsvinger van Marrus maakte een kleine vetvlek op de glazen plaat die voor het wandkleed hing. '*Insectatio Innocentiae*.' Vloeiend las Marrus de Latijnse benaming voor van de scène links boven aan het wandkleed. Hierin waren twee baby's op een schavot afgebeeld. Aan hun enkels en polsen zaten zware kettingen bevestigd. In rode gewaden geklede toeschouwers stonden het kinderleed toe te juichen.

'Ongeveer anderhalve week geleden stond er in alle lokale kranten een verhaal over twee baby's die uit de kliniek waren gestolen,' legde Marrus uit. 'Ze werden een paar uur na hun ontvoering teruggevonden in een politiecel. Met handboeien aan hun armen en benen.'

'Wat?' Madhu geloofde zijn oren en ogen niet. 'Precies dezelfde gebeurtenissen.'

'In precies dezelfde volgorde.'

Madhu keek Marrus met grote ogen aan. 'Iemand doet na wat op dit wandkleed staat.'

Andama riep al vanuit zijn werkkamer, de telefoon amper op de haak: 'Je hebt gelijk Madhu.' Hij rende de gang op, de zitkamer in. 'Bij de babyontvoering van 29 december zijn aanwijzingen gevonden die jouw veronderstelling nog eens extra bevestigen. Het is dat wandkleed. En dezelfde dader. Zonder twijfel.'

Madhu lag languit op een bank, vanwaar hij uitzicht had op de havens van Mone-Daun in het noordwesten. Het was donker geworden tijdens zijn dutje, de zwenkende kranen werden inmiddels verlicht door schijnwerpers. In de donkere zee erachter knipperden lichtjes van vrachtschepen en een vuurtoren draaide rond op een golfbreker. 'Wat voor verdere aanwijzingen zijn er dan?' wilde hij weten.

'Boodschappen van de daders, net als op mijn wagen. De baby's waren in rode doeken gewikkeld. Op een van de doeken stonden de letters I.I. geborduurd,' antwoordde Andama.

'Insectatio Innocentiae.' Madhu ging rechtop zitten.

'Precies, de naam van de eerste scène van het wandkleed.' Andama zwaaide met de museumcatalogus die Madhu 's middags uit de Kleine Historische Galerij had meegenomen. 'Ik heb de plaatjes van het kleed uitgebreid bestudeerd.'

'En werden er ook weer getallen achtergelaten?'

'Ja, een twee en een nul. Gekrast op de muur van de cel.'

Madhu wendde zijn blik van Andama af, naar buiten.

'Het verband tussen de twee misdrijven en het wandkleed is duidelijk. Rechercheur Auster zei dat ze de roof en de ontvoering niet aan elkaar hadden gekoppeld omdat ze zo verschillend van aard waren en door verschillende afdelingen werden behandeld. Hij opperde de mogelijkheid dat de man in het rood samenwerkt met anderen; de misdrijven waren in zijn ogen te ingewikkeld om te zijn gepland en uitgevoerd door één persoon.'

Madhu schudde zijn hoofd. 'Ik weet zeker dat het maar één iemand is die dit doet.'

'Hoe …?' Andama slikte zijn zin in en besloot niet te vragen hoe Madhu dit zo zeker kon weten. Aangezien er geen duidelijke aanwijzingen waren die tot deze conclusie konden leiden, begreep Andama dat Madhu zijn intuïtie gebruikte, waardoor hij dingen wist die niet te bewijzen waren.

Andama vouwde de poster nog eens uit de museumgids. 'Een serie misdaden geïnspireerd op een middeleeuws handwerkje. Dat is toch…'

'Het is misschien een datum,' zei Madhu ineens. '20 en 01. Het spijt me dat ik u onderbreek, maar zou het niet kunnen dat de dader ons twee delen van een datum heeft gegeven? De letters I.I. en P.S. horen bij elkaar, dus '20' op die muur en '01' op uw wagen zullen ook wel bij elkaar horen. 20 was eerst, 01 daarna. 2001? Of 20 januari?'

'20 januari,' herhaalde Andama. 'Dat is volgende week zaterdag. Zou er iets met die dag zijn?'

Madhu haalde zijn schouders op. 'Misschien is dat een dag waarop de dader iets speciaals gaat doen of een dag die hij om de een of andere reden belangrijk vindt. Maar die cijfers

kunnen ook net zo goed voor iets anders staan. Een telefoon-
nummer, of een code.'

'Cijfers van een bankrekening waarop hij losgeld voor mijn
spullen gestort wil hebben?'

'Eén ding is in ieder geval zeker: hij geeft ons die informatie niet voor niets.'

Andama knikte. 'Alles lijkt erg goed doordacht en georga-
niseerd. Dit lijkt mij niet iemand die zich gemakkelijk laat
vangen.'

'Nee. Maar we gaan de zaak heel scherp in de gaten houden,' zei Madhu. 'Iedereen maakt vroeg of laat een fout.'

Er klonk een korte zoem.

'Ah, het eten.' Andama liep richting de lift. 'Ik heb wat lek-
kers laten klaarmaken. Heb je weleens bergduif geproefd?'

Voor wat ze hun 'specialistische boodschappen' noemden, bezochten de gebroeders Cambron meestal de firma Weck en Zoon, een eeuwenoude wapenwinkel die weggestopt zat in de slecht verlichte Stroperssteeg.

De man achter de toonbank, een echte Weck met Rokel als voornaam, bediende vaker klanten uit de onderwereld. Hij herkende de typische behoedzaamheid van mannen en vrouwen uit deze beroepsgroep van verre, hun achterdochtige en tegelijkertijd onbevreesde, brutale houding. Kenmerkend was ook dat misdadigers vaak laat op de avond langskwamen; het was twintig over tien toen hij Tatlo, Paslo en Lenolo via de monitor voor de gepantserde deur zag staan.

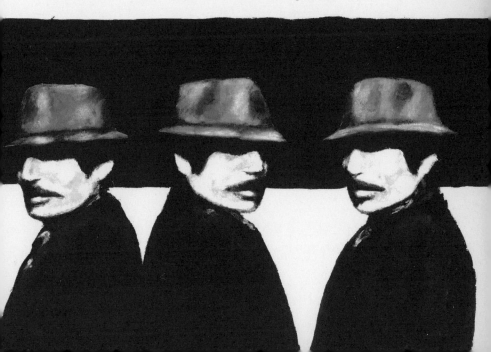

De drieling was onaangenaam in de omgang, dat had Rokel Weck al vaker ondervonden. En de laatste dagen gonsde het van de geruchten over hun razende zoektocht naar het huwelijkscadeau van hun werkgever. Weck had mensen woorden als 'onethisch' en 'barbaars' horen gebruiken bij het beschrijven van hun ondervragingsmethoden. Maar noch hun gedrag, noch de manier waarop de gebroeders Cambron de kost verdienden, deden er iets toe voor Rokel Weck. Zolang zij maar geregeld geld kwamen uitgeven in zijn winkel. Vandaar dat hij ogenblikkelijk de deur voor hen opende, zijn scheve tanden bloot lachte en met een gedienstige buiging zei: 'Welkom, beste heren. Wat mag ik voor u betekenen op deze ijskoude avond?'

'Graveert u ook dit soort kogels?' Paslo verspilde nooit tijd aan beleefdheden. Met een tik zette hij een patroon op de toonbank.

'Dat is zeker mogelijk,' zei Weck. 'Maar niet op deze standaardpatronen. Gaat u de munitie ook daadwerkelijk gebruiken?'

'Wat gaat u dat aan?'

'Neemt u mij niet kwalijk, meneer. Ik had andere woorden moeten kiezen: wilt u een kruitlading in de gegraveerde kogel?'

'Wat moeten wij met kogels zonder kruit? Zien mijn broers en ik eruit alsof we met lood *gooien*?' mengde Lenolo zich in het gesprek.

'Ik vraag dat omdat er risico's zijn verbonden aan het graveren van een kogel met kruitlading,' antwoordde Weck geduldig. 'Indien u tevreden zou zijn met een patroon zonder kruit …'

'Daar zijn we niet tevreden mee. Wij willen met kruit,' onderbrak Paslo hem.

'Dat is dan duidelijk,' zei Weck. 'Wilt u de gravure op de kogel of de huls?'

'U luistert toch wel naar mijn oudere broer?' zei Lenolo. 'Zijn vraag was of u dit type *kogels* graveert.'

'Neemt u mij niet kwalijk, maar misschien wilde uw broer wel meer dan tien tekens laten graveren, en dat zou niet op de kogel zelf passen. En daar bedoel ik dit bovenste deel mee.' Wecks hand trilde een beetje bij het aanwijzen van het loden deel boven op het messing cilindertje.

'Neem je me nu in de maling?' vroeg Paslo zacht.

'Nee, nee, absoluut niet. Veel mensen noemen dit voorwerp een kogel, maar de juiste benaming voor wat er hier voor ons op de toonbank ligt, is patroon. Een patroon is namelijk het geheel van de huls en de kogel. En de kruitlading. En het slaghoedje.'

'Graveert u dan ook slaghoedjes?' Lenolo kon echt genieten van mensen die nerveus werden van hem en zijn broers.

'Helaas, daarop kan niet worden gegraveerd. Het slaghoedje zit …'

Geprikkeld veegde Tatlo het bordje *Gelieve niet op de toonbank te leunen* aan de kant en ging op de toonbank zitten. 'Gaat u door met uw ongevraagde les over munitie, of kunt u ons vertellen of u de trouwdatum van onze werkgever op de *kogels* van honderd van dit soort *patronen* kunt zetten?'

'Dat komt in orde, heren. Wanneer trouwt meneer Mirov?'

'30 januari aanstaande.'

'Liggende of schuine streepjes tussen dag, maand en jaar?'

'Schuine. Wanneer denkt u ze klaar te hebben?'

'Ik heb ze overmorgen voor u klaarliggen.' Weck schreef een en ander op een blaadje. 'En misschien wilt u meneer

Mirov zeggen dat deze bestelling een huwelijkscadeau van de firma Weck is.'

'Zo zo,' zei Tatlo. Hij gleed van de toonbank af en trok zijn jas recht. 'Dan denk ik dat een bedankje op zijn plaats is.'

'Geen dank, alstublieft.' Weck overwoog even het bordje op te pakken en het terug te zetten op de toonbank, maar deed dit uiteindelijk niet.

'O, zeker wel. Wij willen u graag een van die patronen geven. Een van die honderd gegraveerde kogels,' zei Lenolo.

'Dat hoeft echt niet.' Weck zag al waar dit naartoe ging.

'We staan erop dat u ons bedankje aanneemt. We geven ze namelijk weg als herinnering aan de uiterste datum waarop we terug willen hebben wat van meneer Mirov is gestolen. Waarschijnlijk hebt u er al van gehoord.'

'Dat klopt,' antwoordde Weck. 'Ik heb begrepen dat er een roze edelsteen van uw werkgever is gestolen.'

'Inderdaad, een roze diamant. Als we deze voor 30 januari terug hebben, kunt u de kogel beschouwen als een uitnodiging voor het royale straatbanket dat meneer Mirov op zijn trouwdag geeft. Maar in het andere geval, het noodlottige geval waarin de steen niet op tijd wordt teruggevonden, komen we alle kogels weer ophalen.'

'En als het aan ons ligt, gaan we ze dan gebruiken ook,' vulde Tatlo zijn jongste broer aan. 'Goedenavond.'

De drie broers lieten de deur openstaan bij het verlaten van de winkel. Weck durfde pas hardop te vloeken toen hij deze weer had gesloten en vergrendeld.

Hoewel Astil een jongen is, voel ik me op mijn gemak bij hem. Als we de kans krijgen, slenteren we graag door de straten. Zonder een voornemen, zonder een doel. Maar toch lijken we dan samen precies te doen wat we van plan zijn.

Het Stadsplein is afgeladen. Zelfs de twee houten bruggen die erheen leiden, staan en hangen de komende dagen vol met mensen, dieren, kramen en alle mogelijke handelswaar.

Er wordt verkocht wat er elke week op de markt te krijgen is: rieten manden, zout, turf, laken, gekleurde schapenwol, zuivelproducten, bezems, kuikens, licht en zwaar bier, kaarsen, graan en grof aardewerk. Maar er liggen nu ook luxeproducten uitgestald die niet uit de omgeving van Mone-Daun komen en normaal moeilijk te krijgen zijn: opgezette dieren, zilveren sieraden, dolken en zwaarden, zout en peper, fluweel, geurwaters, verse en gedroogde vruchten, mahoniehouten paneeltjes met exotische schilderingen en nog heel veel meer.

De driedaagse wintermarkt trekt mensen uit de meest afgelegen streken aan. Er zijn acrobaten, waarzegsters, minstrelen en mannen uit het westen met getrainde beren en wolven. Overal kringelen rookpluimen omhoog de koude winterhemel in. De kleinste pluimpjes komen van de kooltjes die de kastanjeverkopers laten gloeien voor het poffen van hun waar. Iets meer rook maken de vuurtjes van de rondreizende metaalbewerkers die kapotte ketels, potten, gereedschap en ander metalen voorwerpen oplappen.

De meeste walm stijgt op van het enorme vuur dat midden op het plein is aangestoken. Daar staan Astil en ik al ruim een uur. We zijn rozig van de warmte en bedwelmd door de zoete geur die afkomt van de vier ossen die boven het vuur worden geroosterd. Een slagersjongen loopt voortdurend heen en weer om het in een bak opgevangen vet weer met een emmertje over het gebraad uit te gieten.

We kijken hoe de gespietste dieren langzaam ronddraaien boven het vuur en lachen om de tong van de tweede os, die bij elke wending steeds omlaagvalt.

Astil houdt gewoonlijk meer van luisteren, maar zegt dat hij met mij wel graag praat. Over waarom hij zo geniet van de sneeuw en de zon, of over onze vriendschap. En als Halmo hem of zijn moeder in een dronken bui geslagen heeft, deelt hij zijn verdriet en woede met me.

Ik vind Astil leuk. Maar alleen als een vriend. Barhennio denkt zeker te weten dat onze overbuurjongen mij als een kandidaat ziet. Om mee te trouwen.

Twee vrouwen die ik vaak bij de stadsmuur tegenkom (Barhennio wil niet dat ik met ze praat; hij noemt ze dames van bedenkelijke zeden en denkt dat ik niet weet wat hij daarmee bedoelt), hebben me laatst verteld dat alleen een man een meester kan worden. Een meisje, en zeker een wees zoals ik, heeft volgens hen geen enkele kans om na haar opleiding door te groeien.

Met een samenzweerderige glimlach vertrouwden zij me toe dat mijn beste kans op vooruitgang is om te trouwen met een leerling die wel ooit meester wordt. Iemand als Astil.

Ik heb die meisjes gezegd dat ik in dat geval altijd leerling zal blijven. Als ik aan trouwen met Astil denk, moet ik lachen.

9

Madhu stond zijn tanden te poetsen toen er zachtjes op de deur werd geklopt. 'Binnen,' zei hij met een door de tandpasta gedempte stem.

De deur ging voorzichtig open en Andama's hoofd verscheen. 'Ik dacht al dat ik je hoorde. Heb je goed geslapen?'

'Prima,' zei Madhu. Hij nam een slok, spoelde en spuugde het water uit, met zijn mond dicht bij het afvoerputje. 'En u?'

'Ook heel aardig, ondanks de situatie. Kijk hier eens naar.' Andama vouwde een krant open en hield hem voor zich uit. *Wandkleed als leidraad voor misdaden in Mone-Daun,* berichtte een vetgedrukte kop en *Tip van jonge detective zorgt voor doorbraak.* 'Een paar dagen in de stad en nu al op de voorpagina van *De Tijding.* Je oom zal trots op je zijn.'

Madhu liep naar Andama toe en pakte de krant aan. 'Wat staat erin?'

'Voorop niets bijzonders, allemaal oud nieuws. Er staat een stuk op de derde pagina dat je wel even moet lezen.'

Even later zat Madhu met de krant aan de bar in de keuken. Voor hem stonden versgebakken broodjes, vleeswaren (Andama had hem in het bijzonder het gedroogde jakvlees aangeraden), een schaaltje fruit en een pot thee.

Beneden op straat kwam de negende werkdag van dat jaar op gang. Het was een bleke ochtend.

De voorpagina van *De Tijding* was voor Madhu inderdaad weinig interessant, die had hij snel doorgenomen. Maar op bladzijde drie stond een erg informatief achtergrondartikel over het wandkleed en de misdaden die ermee leken samen te hangen. Dit was wat er stond:

Kunst die misdaad inspireerde
Orde in Ondergang is een borduurwerk (500 x 250 centimeter) van gekleurde zijde en wol op wit linnen. Het werd gemaakt in opdracht van Gil Darloy (1501-1552), een rijke koopman en invloedrijk bestuurslid uit Mone-Daun. Darloy bestelde het kleed in 1540 voor de eetzaal van zijn nieuwe herenhuis aan de Stormenkade, waar het waarschijnlijk tot halverwege de achttiende eeuw in het familiehuis heeft gehangen. Nadien is het tapijt ongeveer een eeuw in particuliere handen geweest, totdat het in 1854 door de staat werd opgekocht en op Koninklijk bevel tot Nationale Schat werd verklaard. Sinds 1884 wordt dit prachtige kunstwerk tentoongesteld in het Majeste-kasteel.

Aangenomen kan worden dat het tapijt de uitbeelding is van een vurige wens van opdrachtgever Darloy: de ondergang van een kring van wetenschappers en wijsgeren die zichzelf de Orde der Bestendigen noemde. Deze orde was er een zoals er in de zestiende eeuw wel meer waren: een vereniging van vooraanstaande burgers die zich inzette voor een bepaald maatschappelijk belang en/of gedachtegoed. Het ideaal van de Orde der Bestendigen was het omschrijven, verwerven en handhaven van 'universeel geluk'.
De aanleiding van Darloys wrok was dat hem en zijn twee kinderen de toegang tot de Orde was geweigerd. Als vooraanstaand burger zag Darloy deze afwijzing als een vernedering

die gewroken moest worden. In een brief aan een familielid beschrijft de gekrenkte Darloy zijn nieuwe roeping: Ick maeck van het verval van dees orde, dees bende gelukszoekende gekskappen mijn levenswerck.

Darloy begon met het verspreiden van allerlei geruchten die de Orde in een kwaad daglicht moesten stellen. Als visuele ondersteuning van zijn lastercampagne liet hij het wandtapijt maken, waarop hij de ordeleden als misdadigers liet neerzetten, als een groep gevaarlijke samenzweerders die niets dan rampspoed over de stadstaat van Mone-Daun zou brengen.

Darloy presenteerde jaarlijks de misleidende propaganda op zijn tapijt als waarheid aan het volk: tijdens de driedaagse wintermarkt had hij een kraam waar het beeldverhaal voor publiek was te bezichtigen. Darloy hield de kwaadsprekerij vol tot aan zijn dood in 1552, ondanks de aanwijzingen dat de Orde toen al zou zijn opgeheven. Zijn aanhoudende, ziekelijke rancune jegens een groep die niet eens meer zou bestaan, zorgde ervoor dat hij zijn geloofwaardigheid als bestuurslid verloor. Hij stierf als een oude, bittere man, een mikpunt van spot en minachting.

De taferelen

Er staan zes taferelen op het kunstwerk Orde in Ondergang. Een hoofdvoorstelling in het midden, met vijf kleinere daaromheen. Het tapijt dient te worden gelezen als een stripverhaal, waarbij men links bovenaan begint en met de klok mee naar linksonder gaat. De centrale afbeelding vormt het finale tafereel.

Veel van de op het wandkleed gebruikte symboliek is onduidelijk en moeilijk herleidbaar. Desondanks zijn kunsthistorici het eens geworden over de algemene boodschap die Darloy met dit kunstwerk heeft willen overbrengen.

De kleine taferelen tonen hoogstwaarschijnlijk wandaden die de ordeleden (steeds te herkennen aan rode kledij) volgens Darloy hadden begaan of nog zouden begaan.

Vijf profetieën van onrechtvaardigheid, chaos, hebberigheid, gekte en tijdloosheid in Mone-Daun.

Op de hoofdvoorstelling wordt de kwaadwilligheid van de Orde gewroken: onder aanvoering van Darloy zelf nemen de geteisterde inwoners van Mone-Daun het recht in eigen hand en wordt er voorgoed met de Orde afgerekend.

Madhu had het wandkleed zowel in het museum als later in naslagwerken al zo uitvoerig bestudeerd, dat hij de afbeeldingen in de krant maar vluchtig bekeek voor hij de begeleidende teksten erbij las.

Tafereel 1, **Insectatio Innocentiae** (I.I.), De Vervolging van de Onschuld.
Een uitgelaten groep ordeleden aanschouwt de terechtstelling van twee geboeide pasgeborenen.
De misdaad: in de nacht van donderdag 28 op vrijdag 29 december jongstleden steelt een onbekende ongemerkt twee baby's van de kraamafdeling in het Stadshospitaal. Zij worden 's nachts om 03.00 uur in een lege cel van het politiebureau Wilkiffstraat noord 2 teruggevonden. De dader laat een boodschap achter: hij heeft de letters I.I. op een doek geborduurd. Mede dankzij de tip van M. Mahavir kon de politie deze boodschap koppelen aan de titel van de eerste afbeelding op het tapijt.

Niet dat het hem echt wat uitmaakte, maar toch fronste Madhu even zijn wenkbrauwen bij het lezen van het woord 'mede' in deze laatste zin. Wat had de politie nu eigenlijk bijgedragen aan het samenbrengen van het kleed en de misdaden? Dat was helemaal zijn idee geweest.

*Tafereel 2, **Spoliatio et Perturbatio** (S.P.), Plundering en Wanorde.*
Een koets wordt overvallen door een man in het rood.
De misdaad: dinsdag 4 januari jongstleden (rond 16.30 uur) wordt even buiten de stad een waardetransport beroofd.
De dader (in rode kleding) laat de geborduurde letters S.P. achter.

Het viel Madhu op dat de krant niets schreef over de cijfers 20 en 01 die bij de twee misdaden waren achtergelaten.

*Tafereel 3, **Aevum Insaniae** (A.I.), Tijdperk van Gekte.*
Ordeleden in dwangbuizen laten zich door de stad rijden in een kar die wordt voortgetrokken door een ezel, een varken, een hermelijn en een pauw. Op de koetsiersbank zit een rat.

*Tafereel 4, **Tempus Fugax** (T.F.), Verglijdende Tijd.*
Op rivier de Nogar vaart een vlot dat is volgeladen met aangeklede skeletten. Figuren in het rood zwaaien met fakkels in hun handen de doden uit.

*Tafereel 5, **Meditatio Nocturna** (M.N.), Nachtelijke Overdenking.*
Een vrouwelijk ordelid met een zwarte roos in haar hand blaast een kaars uit.

De middelste voorstelling: **Mutatio Rerum** *(M.R.), De Omwenteling.*

Dit is het laatste en meest gedetailleerd uitgewerkte tafereel van het beeldverhaal: de uitroeiing van de orde die Darloy zo haatte. Op het met gele vlaggen versierde Stadsplein van Mone-Daun (we herkennen op de achtergrond onder andere het Stalen Slot) worden mannen en vrouwen in het rood genadeloos gestraft voor de ellende die zij elders op het kleed veroorzaken. Uit verscheidene bronnen weten we dat de man met cape voor de ingang van de tent Darloy zelf voorstelt. Het hoofd dat hij in zijn hand houdt, is hoogstwaarschijnlijk van de leider van de Orde, een alchemist die Van Stellon heette.

Wing Gobol is kunsthistoricus en voormalig conservator van de Stadsgalerij van Mone-Daun, stond er onder aan het artikel.

Madhu schonk nog wat thee in en dacht diep na.

Langs het besneeuwde trottoir stopte een taxi. Een jongeman en zijn vriendin stapten uit en liepen de trap op naar het appartementencomplex. Op de derde trede stopten ze even om met elkaar te zoenen. Ze zeiden iets tegen elkaar, waarbij wolkjes damp te zien waren. De man lachte en snel liepen ze verder omhoog. Toen de voordeur achter hen in het slot viel, was de taxi alweer rechtsaf geslagen, de Graaf Pandersingel op.

Het was even helemaal stil op de straat voor het appartementencomplex.

Totdat er vanuit het parkje even verderop een gerinkel klonk, het geluid van rammelend metaal. Ook was er gescharrel, getrappel, gesnuif en geknor hoorbaar.

Er stonden negentien lantaarnpalen in het kleine park. Donkerrode, dubbele lantaarnpalen met het oude stadswapen van Mone-Daun op een geëmailleerd schildje. Om een van die palen was net een roestige ring bevestigd met daaraan een ketting van twee meter lang. Het andere uiteinde van die ketting zat met een oog vast aan de zijkant van een zwarte boerenkar waarop *15* stond gekrast.

De kar werd in rondjes om de paal getrokken door een opmerkelijk vierspan. Als eerste vielen de twee grootste beesten vooraan op: een ezel en een ontzaglijk varken. Hoewel de ezel en het varken stapvoets liepen, moesten de twee kleinere dieren voor hen de pas er goed in houden om bij te blijven. Aan de linkervoorkant van de disselboom was een blauwe pauwhaan ingespannen en aan de andere kant liep een spierwitte hermelijn.

Alle vier de dieren werden in het gareel gehouden door een uitbundig versierd, leren tuig. Hun keurig op maat gemaakte hoofdstellen waren afgezet met flonkerende stukjes glas. Aan de borstbanden van de ezel en het varken zaten linten met bellen geknoopt, terwijl de pauw en de hermelijn een wit mutsje en een purperen capeje droegen.

Het duurde nog ruim anderhalf uur voor politieagent Wes Belkers al patrouillerend langs het parkje kwam en de ongewone ontdekking deed. Belkers bracht de kar met enige moeite tot stilstand (vooral de hermelijn en het varken waren erg schichtig) en beklom het trapje. Toen hij over de rand in de kar keek, ontdekte hij op de bodem nog een vijfde dier. Een vette, zwartgrijze rat met aan zijn staart een zwarte lap geknoopt waarop de letters *A.I.* in paars waren geborduurd: *Aevum Insaniae.*

Nog nooit had Madhu iemand zo hard door de telefoon horen praten. Vanuit zijn stoel, helemaal aan de andere kant van de woonkamer kon Madhu de gesprekspartner van Andama – een vrouw met een lijzig, noordelijk accent – woord voor woord verstaan.

Andama en de vrouw hadden het vooral gehad over de recente gebeurtenissen: het wandkleed, de bedreiging van Mirov, de baby's, de kar met de dieren, de man in het rood, alles wat er zoal in de kranten was geschreven. De luidruchtige conversatie liep zo te horen op zijn eind.

'Zo, Firi, ik ga landen. Het was heerlijk om even bij te praten,' schetterde het door de kamer.

'Dat vond ik ook. Ik ben blij dat het goed met je gaat,' antwoordde Andama.

'Ik ben gelukkig. Dolgelukkig.'

'Mooi. Houd dat maar zo.'

'Zorg je dat ik op de hoogte blijf van die avonturen in jouw stad? Het is zo spannend allemaal.'

'Beloofd. Ik bel je gauw weer.'

'En pas je goed op jezelf? Ik maak me echt een beetje zorgen over die gangster die zo boos op je is. En dat om een diamant.'

'Maak je niet druk. Ik heb goede mensen om me heen.'

'Goed. Tot gauw dan. Omarm je angst.'

'Omarmen, Carmenta.' Andama hing op en kwam de woonkamer in. 'Dat was een vriendin van me,' zei hij tegen Madhu, over zijn schouder wijzend richting de telefoon.

'Zat ze soms in een vliegtuig?' vroeg Madhu.

'Hoe weet je dat? '

'Ze praatte zo hard dat ik niet anders kon dan meeluisteren; ik hoorde haar zeggen dat ze ging landen.'

'Ja. Ze zat in haar privévliegtuig.'

'En mag ik weten wat u aan het einde zei? Over dat omarmen?'

'Omarmen?' Andama fronste zijn voorhoofd. 'O, om*armen*. Carmenta en ik hebben elkaar ontmoet in een kliniek, "omarm je angst" was een strijdkreet die we daar leerden.'

'Zat u in die kliniek voor uw laagtevrees?'

'Ja.'

'En waarvoor zat Carmenta daar dan?' Madhu voelde zich bij Andama nog niet genoeg op zijn gemak om grappend te vragen of zij soms leed aan vrees voor normaal stemgeluid.

'Carmenta heeft een ernstige vorm van nyctofobie.'

'Wat is dat?'

'Angst voor avond en nacht. Voor duisternis.'

'Durft ze niet in het donker te zijn?'

'Het is zelfs zo erg dat ze helemaal over haar toeren raakt als de zon ondergaat.'

'Dat is lastig. Hoe gaat ze daar mee om?'

'Vermijden. Net zoals ik laagtes mijd, mijdt zij de zonsondergang.'

'Maar de zon gaat toch gewoon onder?'

'Niet als je bereid bent heel veel te reizen. Carmenta vliegt altijd met het zonlicht mee. De hele aardbol over, van tijdszone naar tijdszone.'

'Op de vlucht voor de nacht.'

'Dat heb je mooi gezegd, Madhu. Altijd op de vlucht. Net als ik. Haar leven speelt zich grotendeels af in haar vliegtuig.'

Ook bang. Ook altijd hoog in de lucht ... Die twee zijn voor elkaar gemaakt, dacht Madhu. Maar hij zei: 'Een duur medicijn, altijd rondzwerven in een privévliegtuig.'

'Ja.' Andama lachte wrang. 'Die hele kliniek waar Carmenta en ik elkaar ontmoetten, zat vol rijkelui. Je zou bijna gaan denken dat je veel geld moet hebben om jezelf zulke buitenissige angsten te kunnen permitteren.'

'Hoe bedoelt u?'

'Mensen die door alledaagse bezigheden worden opgeslokt, lijken nooit last te hebben van ziektes als laagtevrees en angst voor het donker. Voor mij is er niets dat mij afleidt van die dwaasheid. En dat geldt voor Carmenta net zo goed.'

'Maar wat zou u ervan kunnen afleiden?'

'Gewone dingen. Een lieve vrouw. De zorg voor een gezin bijvoorbeeld, of de dreiging mijn baan te verliezen. Gevoelens, zo nodig kopzorgen die me de tijd, de energie, simpelweg de gelegenheid ontnemen om last te hebben van laagtevrees. Ik voel me af en toe een rijke, verwende aansteller.'

'Dat u een vrouw wilt, begrijp ik. Maar kopzorgen? U wilt dus liever bepaalde zorgen *krijgen* om uw probleem, de laagtevrees, te kunnen *kwijtraken*?' Madhu schudde zijn hoofd. 'Hoe weet u nu welke zorg u het liefst heeft?'

'Je hebt natuurlijk helemaal gelijk, jongen. Dat is ook de kern van het verhaal. Innerlijke balans. Keuzes, en het gebrek eraan.'

'Wat bedoelt u?' Madhu kon Andama niet meer helemaal volgen.

'Niks. Ik draaf door. Het is tijd om te gaan slapen.' Andama keek somber.

Sneeuwvlokken sloegen plat op het glas en gleden traag naar beneden.

'Ik zou nog wel even naar buiten willen,' zei Madhu, die zich helemaal niet moe voelde. Het was al bijna middernacht, maar hij wist dat Andama een heel andere kijk had op de regels voor een jongen van twaalf dan zijn oom.

'Zal ik Marrus even bellen? Die rijdt je graag nog even rond.'

'Nee, dat hoeft niet. Ik wil gewoon even naar beneden en in de sneeuw staan.'

'Blijf je wel in het zicht van de bewaking?' Andama liep naar zijn slaapkamer. 'Ik heb Ranga beloofd dat je niets zou overkomen.' Met gebogen hoofd trok hij de deur achter zich dicht.

Arme meneer Firi, dacht Madhu. Hij had de neiging gehad om naar Andama toe te lopen en hem te omhelzen, maar had het uit een soort stomme beleefdheid niet gedaan.

'De jongen,' fluisterde Paslo.

Bijna gelijktijdig zakten de broers onderuit in hun stoelen, tot hun ogen nog maar iets boven het dashboard uit kwamen. Tatlo draaide snel de radio uit, alsof Madhu op twintig meter afstand de zachte operamuziek had kunnen horen.

'Arresteren?' opperde Paslo.

Tatlo schudde zijn hoofd. 'Niet zonder bevel van de hoofdcommissaris.'

De broers gebruikten al jaren politiejargon wanneer ze onderling communiceerden tijdens straatwerk. Ooit hadden ze het bijzonder geestig gevonden om als misdadigers de vaktaal van hun vijand te gebruiken, maar daar stonden ze nu nooit meer bij stil. Lachen was iets wat de drieling nog maar zelden deed.

Ze keken een tijdje hoe Madhu voor de deur heen en weer wandelde.

'Volgens mij schept hij gewoon een luchtje,' zei Tatlo toen Madhu een sneeuwbal had gemaakt en deze tegen een vuilnisemmer slingerde. 'Ik ga bellen.'

Anderhalve minuut later was hij weer terug. 'De hoofdcommissaris wil dat we hem meenemen voor verhoor. Hij noemt het een buitenkansje.'

'Dan moeten we hem wel weg krijgen voor de ingang. We willen niet dat bewakingscamera's vastleggen hoe we een jong jochie van de straat wegplukken,' zei Paslo.

'Andama zal hem vast wel voor ons hebben gewaarschuwd.'

De broers keken zwijgzaam voor zich uit. Er werden plannen beraamd.

'We vragen hem daar om hulp,' zei Tatlo. Hij wees naar de zwerver die in een portiek vlak naast hen aan het schuilen was. 'Geef me eens een briefje van twintig.' Hij trok zijn handschoenen aan en draaide het raampje open.

'Wil jij wat geld verdienen?' riep hij naar de man in het portiek, die na dit aanbod onmiddellijk richting de auto kwam sjokken. In het licht van de lantaarnpaal verscheen een in lompen gehulde man van ongeveer vijftig jaar oud, wiens gezicht grotendeels werd bedekt door een smerige kluwen baard- en hoofdhaar. In zijn linkerhand hield hij een fles goedkope amandellikeur. Zijn ogen hadden de kleur van natte as.

'Niet dichterbij komen, alsjeblieft. Je stinkt nogal,' zei Tatlo. 'Zie je die jongen met die tulband, daar schuin aan de overkant?' De zwerver strekte zijn nek uit en knikte.

'Goed zo.' Tatlo scheurde het twintigje in tweeën en gooide een helft in de sneeuw. 'Je krijgt de andere helft als je naar de overkant loopt en even verderop doet of je uitglijdt en een been breekt of zoiets. Daarna moet je om hulp roepen en zorgen dat die jongen naar je toe komt. Is dat duidelijk? Je moet hem voor de deur van dat gebouw weglokken.'

De zwerver stemde in door het halve biljet uit de sneeuw te pakken.

'Ik ben heel benieuwd of dit wat oplevert.' Paslo startte de auto.

Zwijgend keken de Cambrons toe hoe de zwerver de overkant van de weg bereikte en op dertig meter afstand van Madhu achter een paar auto's verdween.

'Waar is hij nu heen? Was dat zijn vertolking van vallen?' zei Paslo.

'Wacht, wacht,' zei Tatlo. Hij stak zijn vinger op. 'Luister eens.' Er klonk gekerm en ijl hulpgeroep. 'Die armoedzaaier doet goed zijn best. En onze verdachte reageert er nog op ook.'

Madhu holde inderdaad al richting de zwerver.

Met een trap op het gaspedaal zette Paslo de Ridelo Excellence in beweging om enkele ogenblikken later met piepende remmen te stoppen bij Madhu, die zich net bezorgd over de acterende zwerver had gebogen.

Vanaf dat moment ging het heel snel – dit was waar de Cambrons goed in waren. Deuren vlogen open, twee zwarte gestalten stormden naar buiten, een hand ging voor een mond, deuren sloegen weer dicht.

En voor Madhu goed en wel besefte wat er was gebeurd, zat hij al met een blinddoek over zijn ogen op de achterbank, Tatlo naast hem.

Geen mens had gezien wat er was gebeurd, behalve de zwerver natuurlijk. Maar die maakte zich geen zorgen om de jongen met de tulband. Hij strompelde richting de nachtwinkel een paar straten verderop, misschien nog wel gelukkiger omdat hij voor een keer niet was bedrogen dan vanwege het complete twintigje in zijn zak.

De opperbeste stemming waarin Madhu dankzij de sneeuwbui was geraakt, sloeg in de auto van zijn ontvoerders meteen om in boosheid. Woede zelfs. Hij worstelde en spartelde en zag kans Paslo een keer hard op zijn achterhoofd te raken, waardoor de auto bijna in een winkelpand belandde. Tatlo moest beide handen gebruiken om hun gevangene in toom te houden.

'Wie bent u?' riep Madhu. 'Zit Mirov hier soms achter? Haal die doek van mijn ogen! En blijf van me af!' zei hij tegen Tatlo, die hem nu een hand over zijn mond wilde doen.

'Doe jij eens rustig, druktemaker,' zei Paslo. 'Er gaat je heus niets gebeuren. Meneer Mirov wil alleen even met je spreken.'

'Maar ik niet met hem. Laat me gaan!'

'Au!' riep Tatlo. Hij schudde even met zijn rechterhand voor hij er een stomp mee op Madhu's arm gaf.

'Tatlo, doe je een beetje voorzichtig? Het is een jongen.'

'Ja, Paslo, dat weet ik. Als jij er wat voor voelt om gebeten te worden, moet jij hem maar komen vasthouden.'

'Haal die blinddoek weg! Haal dat ding van mijn ogen.' Madhu raakte buiten zinnen door de blinddoek en Tatlo's dwingende handen.

Paslo reikte naar achteren en trok de blinddoek van Madhu's gezicht. 'Zo. Als je je nu maar koest houdt.'

De rit duurde gelukkig maar even. Vanaf het kantoorgebouw van Andama was het maar vijftien minuten rijden naar het huis van Dendessi Mirov, dat diep verstopt lag in het oude centrum van Mone-Daun.

De Ridelo Excellence stopte voor een roestig hek. Er kwam onmiddellijk een bewaker tevoorschijn om de grendel opzij te doen, zodat de broers met hun gevangene het verlichte terrein op konden rijden.

Het Mirov familiehuis was een opvallend, langgerekt geheel met zeven verdiepingen, de lage zolder en vochtige kelder meegerekend. Op de gepleisterde zijmuren waren nog sporen zichtbaar van de lage huisjes die er ooit tegenaan hadden gestaan en die door Mirovs vader waren neergehaald. De oude Mirov wilde een onderkomen dat midden in de stad stond, maar wel afgezonderd lag, omdat hij dat beter te beveiligen vond. En goed beveiligd was het: rondom het huis stond een metershoge muur van gewapend beton, en in de tuin liepen vijftien topfitte waakhonden en hingen er zeker dubbel zoveel camera's. De enige deur waarmee het tot de derde verdieping raamloze huis kon worden betreden, was uitsluitend te bereiken met een steile trap die negenendertig treden telde.

Mocht het ongenode gasten ondanks alle bewaking toch lukken om deze trap te bereiken, dan kon men vanuit het huis altijd nog de groene hendel gebruiken en het mechaniek in werking stellen dat de oude Mirov ooit had laten aanleggen – een wat ouderwets, slapstickachtig maar niettemin effectief verdedigingsmechanisme. Het overhalen van deze hendel had namelijk tot gevolg dat de negenendertig traptreden tegelijkertijd wegdraaiden, en er een valluik onder aan de trap opensloeg, zodat eventuele vijanden via de glijbaan in een diepe kuil terechtkwamen.

In al die jaren dat de Mirovs daar woonden, was dit af-weersysteem bijna ongebruikt gebleven. Bijna, want zo'n veer-tien jaar geleden had Tatlo om onduidelijke redenen de hen-del overgehaald toen een van Mirovs butlers bijna boven aan de trap stond. Deze bediende was naar beneden gegleden en in de vier meter diepe put beland, waarna hij niet meer in staat was geweest ook maar iets na te vertellen.

Op het valluik boven die put stond Dendessi Mirov toe te kijken hoe Madhu Mahavir uit zijn auto werd gehesen.

Mirov was nauwelijks geïnteresseerd in mensen. Integendeel zelfs; over het algemeen vond hij mensen onbeduidend, ver-dorven en vooral ook onbetrouwbaar. Onomkoopbare, echte vriendschap had Mirov buiten zijn familie nooit gevonden. Ook niet gegeven trouwens. Hij probeerde een uitzondering te maken voor zijn aanstaande vrouw Mosra-Ni, op wie hij zo verliefd was dat hij zich alleen maar gelukkig kon voelen wanneer zij gelukkig was. Zijn bewakers waren eenvoudigweg een deel van zijn bestaan. Hen kon hij noch als vrienden noch als bloedverwanten beschouwen. De loyaliteit van de drieling was vanzelfsprekend, Mirovs enige menselijke zekerheid.

Maar op dat moment realiseerde Mirov zich dat hij zowaar uitkeek naar een ontmoeting met de jongen die nu naar hem toe werd gebracht. Hiermee was niet gezegd dat hij Madhu meteen aardig vond of iets dergelijks, maar het was al bijzon-der genoeg dat hij een zeker gevoel van enthousiasme ervoer.

Alles wat Mirov de laatste dagen over deze Madhu Maha-vir had gelezen, had zijn belangstelling gewekt. Natuurlijk was hij geïnteresseerd in details rond de diefstal van zijn edel-steen, maar zeker zo boeiend had hij de manier gevonden waarop Madhu zijn ontdekkingen had gedaan: *Met zijn befaamde intuïtie*, had *De Tijding* geschreven. *Een ongewoon zintuig waarmee cruciale informatie kan worden ontsloten.*

Mirov had onmiddellijk meer artikelen over Madhu laten opzoeken en stuk voor stuk wel vijf keer overgelezen. *Hoogbegaafd, onzichtbare kennis blootleggen, bijna waarzeggerij, kompas van de geest, weten zonder zien of horen.*

Mirov was door zijn studeerkamer gaan ijsberen, peinzend over deze jongen die zonder al te veel inspanning de belangrijkste, voor ieder ander verborgen inlichtingen kreeg aangereikt. Het had Mirov grenzeloos geboeid dat Madhu alles voor elkaar kreeg zonder het betalen van steekpenningen, zonder te hoeven dreigen met geweld; methodes die Mirov geregeld moest toepassen om iets te weten te komen. Dergelijke talenten zouden enorm bruikbaar zijn in mijn branche, had Mirov bedacht. En wat te denken van de mogelijkheden bij kansspelen? Hoe moeilijk kon het met zo'n intuïtie zijn om – misschien na wat gerichte oefening – te winnen bij roulette, kaartspelen, ieder spel in het casino? Mirov had eens horen vertellen over een illustere Henry Sugar, een man die in drie seconden door een speelkaart heen zou kunnen kijken en hiermee ongelofelijk veel geld had verdiend.

Wie weet waren de wonderen de wereld nog niet uit en kon Mirov nog wat leren van deze bijzondere jongen.

'Tatlo, laat de jongeheer Mahavir onmiddellijk los. Hij is mijn gast, niet mijn gevangene.'

'Als dit uw manier is van gasten uitnodigen, zult u wel heel weinig mensen voor een tweede keer op bezoek krijgen,' zei Madhu toen hij voor Mirov stond. 'Waarom word ik ontvoerd?'

'Ik ben Dendessi Mirov. Ik wilde je graag ontmoeten en

zag mijn kans schoon. Je bent ontboden, niet ontvoerd.'

'Iemand midden in de nacht een auto in laten trekken en tegen zijn zin ergens heen brengen, noemen normale mensen ontvoeren.' Madhu zag geen kans om Mirovs uitgestoken hand te weigeren. Hij vond het bijna jammer dat hij zijn woede zo goed kon beheersen.

'Normaal, ontvoering ... laten we niet kibbelen over begrippen. Het spijt me dat je geschrokken bent. Mijn lijfwacht hield zich aan de standaardroutine. Je bent volkomen vrij om te gaan en staan waar je wilt, maar ik zou het erg leuk vinden als je nog even bleef.'

'Je had me ook gewoon kunnen vragen om langs te komen.'

'Ik denk niet dat Firi dat goedgekeurd had.'

'O.' Madhu sloeg zijn handen ineen. 'Ze missen me daar. De bewaking zal wel gebeld hebben, en meneer Andama mijn oom. Iedereen zal ...'

'Geen zorgen, ik ben zo vrij geweest om meteen contact met Firi op te nemen. Ik heb hem uitgelegd dat ik met je wilde praten over de berovingszaak en heb plechtig beloofd dat ik je binnen een uur weer veilig terug zou brengen.'

'En dat nam hij zo van je aan?' vroeg Madhu.

'Ik kreeg het idee van wel. Hij vroeg of jij hem even kon bellen als je hier was.' Mirov wees naar boven. 'Loop maar even mee, dan doen we dat gelijk.'

Madhu wist niet wat hij eigenaardiger vond: dat hij zojuist was ontvoerd voor een visite of dat degene bij wie hij logeerde in dit geval alleen even gebeld wilde worden.

'Waar is broer nummer drie trouwens? Het is toch een drieling die u beschermt?'

'Lenolo is met mijn aanstaande vrouw mee.'

Ze waren in de hal op de derde verdieping. Mirov haalde een agendaatje tevoorschijn. 'Ik draai wel even voor je.'

'Waar is dit voor?' vroeg Madhu. Hij zweefde met zijn hand boven de groene hendel naast de telefoon.

'Goedenacht. Met Mirov. Kunt u mij nog eens doorverbinden met Andama?' zei Dendessi Mirov terwijl hij zijn hand naar Madhu opstak en 'wacht even' mimede. Hij keek door een raampje naar beneden en zag dat de twee Cambrons verderop bij de auto stonden. 'Een teken van mijn vertrouwen in jou,' zei hij toen. 'Haal maar over die hendel.'

'Echt?'

'Kijk goed naar de trap. Ja, hallo? Firi, met Dendessi. Ik heb Madhu voor je.'

Op dat ogenblik haalde Madhu de hendel naar beneden. Er klonken twee tikken, geratel en met een klap veranderde de trap in een hellingbaan. Een donker vierkant verscheen op de begane grond.

De twee van Cambron reageerden door meteen met hun rechterhand in hun jassen te schieten en een groot, zwart wapen tevoorschijn te halen.

'Kijk, dit is een dubbele test. Zowel de trap als mijn bewakers staan nog altijd op scherp,' zei Mirov met zijn hand op de hoorn. 'En aan niemand doorvertellen dat ik die trap heb. Hier is Firi.'

Madhu glimlachte naar Mirov. Hij vond hem boeiend. 'Hallo, meneer Firi.' In het bijzijn van Mirov klonk het Madhu opeens een beetje kinderachtig om Andama *meneer* Firi te noemen. 'Het gaat goed, ja. … Ik ben veilig, geen zorgen. Goed … prima. Ja, slaapt u maar lekker. Ja, dag meneer Firi.'

Madhu gaf de hoorn terug aan Mirov, die ophing.

'Zie je? Alles in orde.'

'Ja,' zei Madhu. 'Hij ging gewoon weer naar bed.'

'Hoor ik verbazing in je stem? Of teleurstelling zelfs?'

'Als ik aan mijn oom vertel dat *dit* wordt toegestaan, weet ik zeker dat ik onmiddellijk naar huis moet komen. Hij heeft meneer Andama wel tien keer gezegd dat hij heel goed op me moet passen. Ik hoor hem al zeggen: "De meeste mensen zijn net bruggen, Madhu. Je kunt er rivieren mee oversteken, maar niet op verder bouwen."'

Mirov schoot in de lach. 'Jouw oom klinkt als een man waarmee ik het goed zou kunnen vinden. Misschien moet je het maar niet zo aan je oom vertellen. Firi weet dat ik tot het verstrijken van mijn ultimatum ongevaarlijk ben, voor hem en zijn omgeving.'

'En daarna dan? Wat als we die steen voor de trouwring niet op tijd terugvinden? Ik wil niet dat meneer Andama en ik over een paar weken wel gevaar lopen.'

'Zo openhartig onderhandel jij dus. Daar kunnen veel volwassenen nog wat van leren.' Mirov keek Madhu aan en kreeg waarachtig het vermoeden dat hij een zwak voor deze jongen zou kunnen ontwikkelen. 'Helaas kan ik je niet beloven dat Andama na 30 januari buiten schot blijft, mijn excuses voor de flauwe woordspeling. Als ik zoiets ongestraft voorbij laat gaan, kan ik net zo goed alles gaan weggeven wat ik met zoveel moeite heb opgebouwd. Maar ik wil wel beloven dat jij op geen enkele manier gevaar zult lopen.' Hij legde zijn hand op Madhu's hoofd. 'We hebben dezelfde missie, jij en ik; we moeten samenwerken.' Mirov haalde de hendel weer over, zodat de trap weer terugkwam en de put werd afgedekt. 'Kom, we gaan een wandelingetje maken.'

Veruit het duurste meubelstuk in de woning van mijn meester is het ingrediëntenkabinet. Deze anderhalve meter hoge kolos van roetzwart hout staat op een verhoging achter in de kelder. Ik kan me herinneren dat Barhennio me vroeger vaak op een deken voor het kabinet zette, zodat ik kon leren tellen. Ik begon met het tellen van de kastjes: zes met twee scharnieren en drie met drie scharnieren. Daarna telde ik de zeven poten aan de onderkant, de negen zwarte grendels en de drieëntwintig koperen sloten. Uiteindelijk was ik deskundig genoeg voor alle achtentachtig laatjes.

Nu weet ik dat het gemakkelijk zou zijn als alle laatjes en kastjes even groot waren. Dan hoefde je alleen het aantal horizontaal en verticaal te tellen en deze getallen weer met elkaar te vermenigvuldigen. Maar niets aan dit kabinet is symmetrisch; sommige bergruimtes zijn plat en breed, andere weer hoog en smal. Er zijn zevenentwintig vierkante lades en in de linkeronderkant passen acht driehoekige laatjes in elkaar als de scherpe tanden van een roofdier. De kast lijkt bij de eerste aanblik rommelig, maar als je hem beter leert kennen, weet je dat alles klopt.

Net als bij een cycloop zit het oog van de kast bovenaan, precies in het midden. Daar zit een rond compartiment met zestien kleine laatjes die worden afgesloten met de allerbeste sloten. Dit gedeelte van de kast noemt Barhennio gewichtig Het Oog van de Chemicus. Zestien goed afgeschermde plekjes waar mijn meester de kostbaarste stoffen verbergt die de aarde voortbrengt: edelstenen en -metalen met uiteenlopende geneeskrachtige eigenschappen. *Veel mensen weten het niet, maar goud onder de tong zorgt bijvoorbeeld voor een betere weerstand, terwijl gruis van diamant de nieren grondig reinigt. Krankzinnigen zijn gebaat bij bouillons getrokken van zilverkorrels, het gevecht tegen bloedziektes kan worden gewonnen met robijn, en flintertjes van parels – daarmee moet je trouwens wel oppassen, want stukjes parel kunnen zo scherp zijn dat ze de maag beschadigen – geven de longen extra kracht en zuiveren het bloed.*

Mij is het te doen om een dosis blauwe saffier en een beetje smaragd, twee edelstenen die ook in het oog verborgen zitten. De een versterkt botten en stimuleert groei, en van de ander is bewezen dat het heelprocessen versnelt. Onmisbare elementen voor de balsem die ik ga maken.

Saffier wordt bewaard in het tweede laatje op de tweede rij van boven, laatje vijf als ik tel van links naar rechts en van boven naar beneden. Dat de smaragd in laatje dertien ligt, weet ik al jaren. Ik heb het klompje groene steen ooit zelfs voor Barhennio mogen pakken en verwerken. Als ik toen had geweten dat ik het nu zo nodig zou hebben …

Om de twee stenen te bemachtigen heb ik sleutels nummer vijf en dertien nodig die Barhennio aan zijn riem heeft hangen. En die riem doet hij voor zover ik weet maar bij twee gelegenheden af: wanneer hij vindt dat ik gestraft moet worden (dit is zeker geen geschikt moment om de sleutels te stelen) en wanneer hij in de tobbe van het badhuis gaat (twee keer per maand in de winter, 's zomers iets vaker).

In augustus heb ik het voor elkaar gekregen dat ik met mijn meester mee kon naar het badhuis. Ik heb hem ervan overtuigd dat het handig was om daar op hem wachten, zodat we na zijn bad meteen een boodschap konden doen, daar vlak in de buurt. Zogenaamd praktisch.

Tijdens de dertig minuten waarin Barhennio baadde en mij op zijn bezittingen liet passen, had ik alle tijd om in een blokje bijenwas afdrukken te maken van de twee sleutels.

Dat blokje heb ik maandenlang onder de planken vloer verstopt, tot de wintermarkt begon. Daar staat namelijk elk jaar een metaalbewerker uit de heuvels die sleutels kan namaken. Ik heb hem betaald met een door mij gemaakte lotion tegen schurft, want net als andere heuvelbewoners wordt hij opgevreten door de mijten in zijn klamme wollen lompen.

Nu steekt mijn eigen sleutel dertien in het dertiende laatje van het Oog. De marktkramer heeft goed werk geleverd, het mechaniek draait zonder weerstand. Ik trek het laatje open en snuif de markante geur op van het binnenste van de kast: mirreolie gemorst op oud fluweel en iets dat ruikt als roest. Een vleugje veilig verleden laat me duizelen.

Ik pak de steen en stap van de kruk. Mijn maag krimpt ineen als een slak boven een vlam; boven me hoor ik Barhennio binnenkomen. Hij moet wat zijn vergeten. In een reflex spring ik weer op de kruk om de la dicht te maken en de sleutel te pakken. Maar als ik terug ben op de grond en de kruk wegzet, zie ik dat er een stukje rood fluweel uit laatje dertien steekt. Als de uitgestoken tong van een pestende kleuter. Barhennio zal het zeker zien.

Boven hoor ik gescharrel op tafel en binnensmonds gevloek. 'Drozier! Waar ben je? Mijn bril!' Geërgerd beent mijn meester richting de trap naar beneden. De mogelijke straffen bliksemen door mijn hoofd.

Het is te laat om de tong terug te stoppen. Kruk pakken, sleutel, laatje open, laatje dicht. Onmogelijk.

De vezels van het touw dat dient als trapleuning, kraken al onder Barhennio's gewicht.

'Ik heb 'm, ik heb je bril al!' hoor ik mezelf roepen. 'Ik breng 'm wel!' schreeuw ik bespottelijk hard, terwijl ik helemaal niet weet waar zijn stomme bril is. Daar. Ik graai op een plek die ik zo snel niet kan benoemen en sta alweer op de derde traptree. De bril ligt in mijn hand.

'Bedankt,' bromt mijn meester. Hij hoest diep, loopt terug de trap op en sjokt naar de deur. 'Tot vanavond.'

Achter me hangt het fluwelen lapje verslagen over de rand van de lade.

Ze liepen met zijn vieren over straat: Madhu, de twee broers en Mirov.

Madhu keek bedrukt. Hij wist nu dat hij zelf niets van Mirov had te vrezen, maar de dreigende woorden voor Andama hingen des te zwaarder in de lucht.

'Maak jij je zorgen over Firi?' vroeg Mirov.

Madhu knikte. 'Ja, natuurlijk. Hoe zou u het vinden als u te horen kreeg dat een goede vriend mogelijk gevaar loopt?'

'Dat zou ik ook heel onprettig vinden. Maar ik vond dat ik je dat eerlijk moest vertellen. Probeer het maar te zien als een aansporing om snel mijn steen terug te vinden.'

Madhu keek op naar Mirov om wat terug te zeggen, maar slikte zijn woorden weer in. Hoe moest hij hierop reageren? Was dit zijn manier van aansporen?

'Laten we het over andere dingen hebben,' zei Mirov. 'Wat weet je over het werk dat ik doe?'

'Ik weet dat u een heel duur hotel met casino bezit,' antwoordde Madhu behoedzaam. Hij vond het onbeleefd en misschien ook onverstandig om aan te halen wat Andama en zijn beveiligingsmensen over Mirov hadden gezegd. 'Met een paar attracties erin.' In het vliegtuig op weg naar Mone-Daun had hij een reclame gezien voor Mirovs casino – de foto's van een overdekte achtbaan en een luxe dinercarrousel waren hem daarvan bijgebleven.

'Klopt allemaal, een keurig antwoord. Maar er is vast wel meer over mij gezegd.'

'Zoals wat?'

'Onderwereldbons, eliteboef. Leider van de zwarte markt? Zoiets?'

Madhu aarzelde. 'Ik kan me wel een opmerking herinneren over een reputatie. Een slechte.'

Mirov knikte. 'Die heb ik nu eenmaal bij sommigen. En daar heb ik hard aan gewerkt ook. Maar ik ben ook een mens, elke dag een beetje meer. En dat wil ik ook.' Hij stopte om een bedelaar in een huis van karton een bankbiljet te geven en zijn woorden kracht bij te zetten. 'Ik wil evolueren, groeien, en volgens mij kan ik jouw hulp daarbij goed gebruiken.'

'Wat bedoelt u?'

'Jouw manier van werken ligt me wel. Mijn vader en opa waren mannen van de oude stempel. Harde jongens, avonturiers die in moeilijke tijden kozen voor hun eigen regels. Geen slechte mensen die het spannend vonden om regels te overtreden, maar goede mensen die radeloos waren. Dankzij hun erecodes en gevoel voor rechtvaardigheid ben ik geworden wie ik ben. Ik sta stevig. Vooral in deze kringen.' Mirov gebaarde om zich heen.

Ze liepen door een smalle straat die ondanks het late tijdstip erg levendig was. Mensen liepen schichtig in en uit anonieme hotelletjes, een volgeladen bar liet sigarettenrook en harde stemmen ontsnappen. Snippers vioolmuziek landden op de bevroren keien.

Een uitsmijter bij een in paars neon verlichte ingang knikte eerbiedig, waarop Mirov zijn hand opstak.

Madhu voelde zich op een spannende manier veilig. Mirov

kuierde rond alsof hij op een zonovergoten strandboulevard liep in plaats van door een verloederde stadswijk. En aan alles was te zien dat hij daar zijn imposante lijfwachten niet eens voor nodig had.

'Maar mijn vaders aanpak is niet meer toereikend,' ging Mirov verder. 'Een ondernemer, vakbondsleider en gokker zoals ik heeft meer nodig dan lef en spierballen. Ik geloof niet meer in dwang en harde hand. Ik moet leren aanvoelen wat er komen gaat, eerder weten wat er speelt, durven leunen op mijn gevoelige kant. Ik zou een instinct moeten ontwikkelen zoals jij dat hebt.' Mirov keek opzij naar Madhu. 'Ik draai niet graag om zaken heen, Madhu. Kun je mij leren wat jij kan?'

'Wat ik kan?'

'Ja. Waarom niet?'

'Omdat,' Madhu pauzeerde. Dit was hem – merkwaardig genoeg eigenlijk – nog nooit zo direct gevraagd. Hoe zei hij dit zonder verwaand over te komen? 'Omdat u anders bent dan ik. En omdat ik anders ben dan u.'

'Je kunt me toch vertellen waar je zoal op let? De basisregels van je gave?'

'Zo werkt het niet. Volgens mij zijn er geen regels. Ik voel soms gewoon iets wat anderen niet voelen.'

'Bedoel je dat trillen achter je linkeroor waarover ik in de krant las?'

'Het is achter mijn rechteroor. Ja, dat bedoel ik.'

'Goed. Afgezien daarvan; is er iets dat ik wel van je zou kunnen leren?'

'Ik zou eerlijk gezegd niet weten wat. Dat trillen is eigenlijk het enige wat er gebeurt.'

'Maar is het niet zo dat jij je op een bepaalde manier inspant en dan tot inzichten komt? Zijn er speciale momenten waarop je tekens krijgt? Kun je dat sturen?'

'Nee. Op al die vragen moet ik nee antwoorden. Ik stuur niks. Ik mag blij zijn als er een teken komt.'

'Maar is het volledig willekeurig dan? Gaat het ook weleens achter je oor trillen wanneer je een bord afwast?'

'Dat zou kunnen, ja. Het gebeurt inderdaad ook weleens als ik niet bezig ben met een moeilijke zaak. Die signalen laat ik meestal maar voor wat ze zijn.'

'Trilt het niet vaker achter je oor wanneer je ingehuurd bent?'

'Misschien een beetje vaker.'

'Aha. Dat betekent toch dat je instinct harder werkt wanneer jij het nodig vindt. Daaruit kun je afleiden dat het toch enigszins wordt gestuurd door je bewustzijn. Of je onderbewustzijn.'

Door een opstootje op straat verloor Madhu even de aandacht voor het gesprek met Mirov. Twee vrouwen belaagden een wankelende figuur in een smoking vol vlekken. Een van de vrouwen graaide in de linkerbroekzak van de man, waarop de man begon over te geven.

De twee Cambrons bekeken de vertoning zonder emotie.

Mirov grinnikte. 'Deze straten zijn een afvoerput. Kom, we lopen door; het is hier vlakbij.'

'*Wat* is hier vlakbij?'

'Gully's tatoeageatelier. We gaan mijn verloofde ophalen. Ze heeft een uurtje geleden besloten dat ze een zandstorm op haar onderrug wilde laten tatoeëren.'

'Gaat dat zo snel dan, tatoeëren? In een uur?'

'O nee, ze laat haar tatoeages nooit afmaken. Zo gaat dat het laatste half jaar aldoor; ze rent in een opwelling naar de tatoeëerder en belt me binnen een uur dat ze opgehaald wil worden. Mosra-Ni heeft inmiddels achttien onafgemaakte tatoeages op haar lichaam.'

'Waarom doet ze dat?'

'Veel plannen, weinig geduld. En ze zegt dat ze me te veel mist als ze langer dan een halfuur bij me weg is.'

'Maar dan kun jij toch met haar meegaan naar de tatoeëerder?'

'Klopt. Maar dat wil ze weer niet.'

Dit ging Madhu's begrip te boven.

'Maar vertel eens, hoe ging dat nu laatst?' zei Mirov. Hij wist nog lang niet genoeg van Madhu. 'Hoe werd jij naar de Stadsgalerij gestuurd? Hoe kwam je erbij om naar dat wandkleed te kijken?'

'Het was eigenlijk het idee van meneer Andama's chauffeur om daar naar binnen te gaan.'

'Goed, goed. Wist je wel meteen toen je daar binnenkwam dat je bij het wandkleed moest zijn? Voelde je dat aan?'

'Nee. We zijn eerst bij andere dingen geweest.'

'Toen je bij het kleed aankwam, wat gebeurde er toen? Dat ding hangt in een speciale zaal, midden in het kasteel, is het niet?'

'Dat klopt. Aan het einde van een lange gang.'

'En toen? Je liep door die gang de zaal in, zag het daar aan de muur hangen en liep erop af. Wat gebeurde er toen precies?'

'Toen kwam een teken. Vanuit mezelf.' Het contrast tussen Mirovs geestdriftige ondervraging en de saaie antwoorden die hij gaf, maakte Madhu even aan het lachen.

'Een teken? Bedoel je dat gebrom achter je oor?'

'Ja.' Madhu stopte met lopen.

Ze waren via een straatje een groot, vierkant plein op gelopen. Aan de overkant reden twee auto's. Lantaarnpalen met bolhoedjes sneeuw stonden voor gebouwen die eeuwenoude geheimen achter hun muren bewaarden. Kale bomen langs de rivier duwden met hun wortels de keien van het trottoir omhoog.

'Waar zijn we nu?' vroeg Madhu.

'Dit is het oude Stadsplein. Gully's atelier is daar.' Mirov wees. 'Waarom?'

'Zomaar.' Maar vragen deed hij nooit zomaar, wist Madhu van zichzelf. Misschien wilde hij het gespreksonderwerp veranderen. Misschien moest hij meer weten. 'Wat staat hier dan?'

'Een gebouw van mij, onder andere. Dat zwarte, hoge kantoorgebouw daar wordt over een paar weken geopend. Wat betreft hoogte nog niet de helft van Firi's toren, maar wel een stuk luxueuzer,' zei Mirov met een knipoog. 'Verder wat bejaarde gebouwen die maar niet willen instorten: die ruïne, het Stalen Slot, wordt zolang ik me kan herinneren gerestaureerd – daar werden vroeger dood- en lijfstraffen voltrokken. Dat is de oude klokkentoren met de brouwerij. En schuin aan de overkant staat al sinds de zestiende eeuw het gerechtsgebouw; ze bouwen er nu net weer een derde nieuwe vleugel aan.'

Hardnekkig verleden in het heden, schoot door Madhu's hoofd. Hardnekkig verleden in het heden. Madhu had ineens de neiging om dit zinnetje steeds achter elkaar te blijven opdreunen. Bijna dwangmatig, als een liedje dat in zijn hoofd was blijven hangen: hardnekkig verleden in het heden. Was dit rijmpje gebaseerd op Mirovs woorden over de bouwkundige ontwikkelingen van dit plein? Of was het iets uit Madhu's geheugen? Zijn intuïtie? Hardnekkig verleden in het heden.

Ze wandelden naar een smal winkelpand verderop aan de rivier. In de etalage hingen foto's van getatoeëerde lichaamsdelen. Aan spijkers in de deurpost hingen zes windlichten met zwarte kaarsen.

'Na jou,' zei Mirov. Hij duwde de deur open en liet Madhu voorgaan. Paslo en Tatlo bleven buiten staan.

'Daar ben je, lieverd.' Een vrouw gooide een tijdschrift aan de kant. Madhu stapte opzij om haar langs te laten, maar ze stopte eerst bij hem. 'Jij bent Madhu Mahavir.'

'Klopt, mevrouw.' De geur van haar parfum overstemde die van de wierook en inkt.

'Ik herken je van een foto uit de krant. Jij zoekt naar de mensen die mijn roze diamant hebben.' Ze bekeek Madhu uitvoerig, haar hoofd manoeuvrerend om vanuit meerdere hoeken een indruk te krijgen en uiteindelijk een zo volledig mogelijk beeld samen te stellen. 'Heb je al een idee waar mijn huwelijkscadeau zou kunnen zijn?'

'Nee, helaas. Nog niet,' antwoordde Madhu.

'Ik ben Mosra-Ni.'

Madhu knikte. 'Dat dacht ik al. Aangenaam om met u kennis te maken.'

'Wil je mijn zandstorm zien?'

Madhu knikte opnieuw.

Mosra-Ni deed meteen haar wollen vestje uit en draaide haar blote rug naar Madhu. Er zat een groot stuk gaas vlak boven de rand van haar broek geplakt. 'Haal je het verband even los?'

'Mosra …' Mirov schudde zijn hoofd, de onbevangenheid van zijn verloofde zorgde er wel vaker voor dat hij tegelijkertijd schaamte en trots voelde.

'Lieverd, ik mag toch wel weten of hij het mooi vindt?'

Mirov gaf zich over met een schouderophaal en knikte bemoedigend naar Madhu, die maar deed wat er van hem verwacht werd. Voorzichtig begon hij het kleefpleister los te trekken. Mosra-Ni's zachte mokkahuid gloeide onder zijn vingers.

Er kwam een nog onvoltooide, maar desondanks schitterende tekening onder het gaas vandaan: golvende lijnen en ragfijne stipjes die als een wolk zandkorrels over Mosra-Ni's onderrug leken te rollen. Madhu kon de wind bijna horen huilen als hij ernaar keek.

'En? Wat vind je ervan?' vroeg Mosra-Ni. Ze keek over haar schouder naar Madhu. 'Het is nog niet af, natuurlijk.'

'Het wordt prachtig,' antwoordde Madhu in alle eerlijkheid. 'Heel erg mooi.'

'En jij, lieverd? Wat vind jij?'

Mirov boog zich voorover en knikte. 'Veelbelovend, als altijd. En als altijd ben ik benieuwd naar het uiteindelijke resultaat.'

'Hoor je dat, Gully?' Mosra-Ni plakte zelf het gaas weer vast en trok haar vestje aan. Ze bewoog als een kat. 'Mijn aanstaande man begint over eindresultaten. Hij wil dat we de tatoeages afmaken. Wat zei jij daar ook weer over?'

Pas op dat moment ontdekte Madhu de meester-tatoeëerder Gully, helemaal achter in het atelier, weggedoken in een kleine nis, als een farao in zijn sarcofaag. Een kleine, gedrongen farao met een baard en een kleurige kamerjas.

'Een goede tatoeage heeft tijd nodig, meneer Mirov,' zei Gully. 'Sommige dingen moeten rijpen voor ze passend afgerond kunnen worden.'

'Ik weet zelf prima wat wel en wat niet afgerond moet worden.' Mirov kon er slecht tegen wanneer iemand het beter dacht te weten dan hij. En zeker als het zijn Mosra-Ni aanging.

'Vat het niet verkeerd op, meneer Mirov,' zei Gully. 'Het is maar een zelfverzonnen wijsheid. Een die meneer Mahavir misschien ook ter harte zou kunnen nemen.'

'Wat bedoelt u daarmee?' vroeg Madhu. De zin die Madhu zojuist buiten door zijn hoofd had horen spoken, was na Gully's woorden weer gaan klinken. Hardnekkig verleden in het heden.

'Daar bedoelt hij niets mee waar wij wat aan hebben,' zei Mirov.

'Alstublieft, meneer Mirov, ik wil graag horen wat hij te zeggen heeft.'

'Er spelen zaken in Mone-Daun die lang hebben gerijpt,' zei Gully. 'Zaken die nu passend worden afgerond.'

'U hebt het over de recente gebeurtenissen? Het wandkleed?'

'Ja. Jouw en Andama's zaak, meneer Mirovs zaak, de zaak van heel Mone-Daun, de Orde der Bestendigen. Dat nabootsen van het wandkleed is het staartje van een heel oude geschiedenis,' zei de tatoeëerder.

'Hardnekkig verleden in het heden,' fluisterde Madhu mee met de stem in zichzelf, hij voelde dat de man gelijk had.

14 ZATERDAG 13 JANUARI, 12.51 UUR

De borduurzaak (een journalist van *De Tijding* had deze naam bedacht, vanwege het wandkleed en ook vanwege de geborduurde aanwijzingen die de dader steeds achterliet) was de laatste dagen groot nieuws in Mone-Daun. Het stond op de voorpagina van alle lokale dagbladen en uren van plaatselijke radiozendtijd werden volgepraat door deskundigen en betrokkenen als de hoofdcommissaris, psychologen, paragnosten, historici en ooggetuigen. Het leek wel alsof iedere Mone-Daunenzer iets wist over de dader(s) of hoe het volgende wandkleedtafereel uitgevoerd zou worden.

Het bespottelijk hoge bedrag dat Andama die vrijdagochtend had uitgeloofd voor degene die de roze diamant boven water haalde, maakte het allemaal nog interessanter. Bij Andama B.V. waren er sinds de bekendmaking van de beloning (wel twintig keer de waarde van de edelsteen) veel telefoontjes binnengekomen. Maar dat had nog geen bruikbare informatie opgeleverd. De meeste mensen die belden, noemde Andama 'gekken en kwajongens'. Madhu had erg moeten lachen om een aantal van de onzinnige tips.

Maar ook de paar aanwijzingen die Andama en zijn beveiligingsfunctionarissen wel enigszins serieus namen, deed Madhu stuk voor stuk van de hand als onbruikbaar. Hij wist namelijk zeker dat geen van de aangedragen verdachten bereid of in staat was om een dergelijke reeks omslachtige misdaden te plegen. De borduurder was iemand die eindeloos veel tijd en moeite stak in het imiteren van een middeleeuws wandkleed, iemand die bijna bovenmenselijk secuur en geduldig te werk ging, iemand die duidelijk niet uit was op het slaan van een grote financiële slag. En juist dat type verdachte was door de tipgevers niet naar voren geschoven.

Madhu voelde dat ze nog even geduld moesten hebben, net als degene naar wie ze op zoek waren.

Er stond een man op De Dertien Zegesbrug, net voorbij het standbeeld van ridder Hemia met Het Gouden Schild. Hij keek uit over de rivier, naar het noordoosten. Waar de rivier door de ommuring de oude stad binnenstroomde vanuit Arrondissement Oost daarachter.

Windvlagen maakten schubben op het wateroppervlak. Af en toe schreef de man iets op in een notitieboekje.

Hij leek geen haast te hebben.

In de uiterste rechterkant van zijn blikveld zag hij dat drie grote mannen zijn kant op kwamen lopen. Behoedzaamheid was geboden, want de hele stad was naar hem op zoek. Daarom borg de man zijn notitieboekje weg voor hij zich rustig omdraaide en zo nonchalant mogelijk tegen de besneeuwde brugleuning ging staan.

Waarom dragen deze figuren alle drie dezelfde jas en hoed? dacht hij. In het voorbijgaan hoorde hij een van hen praten over de matige kwaliteit van de koffie op het hoofdbureau. Agenten in burger, waarschijnlijk. Maar niet naar mij op zoek, gelukkig.

Hij keek ze na tot ze veertien lantaarnpalen verder waren en ging door met datgene waar hij mee bezig was.

VI

Donderdag 19 december 1538, nacht

Mijn hart bonkt en weet eerder dan ik dat er iets mis is. *Gehuil zwerft door de stilte en maakt iedereen in de buurt wakker.*

Ik sta versuft op en begin routinematig het stro uit mijn bed van me af te slaan. Een deur, volgens mij die van de buren, gaat krakend open. Er wordt verschrikt gemompeld. Ik hoor iemand schelden. Is dat gehoest, kokhalzen?

Onze deur gaat moeilijk open door het dikke pak sneeuw dat erachter ligt en ik ben blij als Barhennio met zijn slaperige hoofd opduikt om me te helpen. Er staan wat mensen in een kringetje voor Halmo's huis. Twee lantaarns worden omhooggehouden om licht te schijnen op wat er op de grond ligt.

Ik zie Astil op zijn rug; iets aan zijn houding boezemt me angst in. Hij lijkt mijn aanwezigheid te voelen, draait zich om en vindt meteen mijn ogen. Ik ga langzamer lopen omdat ik betwijfel of ik wel wil zien wat hij ziet. Als in een droom pak ik Astils hand. Op zijn witte onderarmen zie ik blauwe plekken. Ze zijn bijna net zo donker als het katoenen hemd dat hij draagt.

De kring gaat open, zodat ik Halmo's gebroken gestalte op de grond kan zien liggen. Hij ligt half op zijn knieën, met zijn gezicht in de sneeuw begraven. Zijn linkerarm is in een onmogelijke positie onder hem gevouwen en een gapende wond over de lengte van zijn hoofd bubbelt donkerrood. Onze buurvrouw Marwe trekt Astils moeder weg, die steeds met haar rok het bloed van haar verongelukte man wil vegen. Haar gesnik en gehuil maken me zenuwachtig.

'Hij kwam zo van boven,' hoor ik een oude man die ik niet ken aan mijn meester uitleggen. Hij wijst op het in de wind zwiepende luik op de derde verdieping. 'Pats, vlak voor m'n voeten. Ik zal die bezeten blik in zijn ogen niet gemakkelijk vergeten.'

'Zei je bezeten?' Astils moeder stopt abrupt met huilen en pakt de oude man bij zijn broekspijp. 'Zie je? Mijn man is gedood door het kwaad, hij zou nooit vrijwillig uit het raam springen.' Ze kijkt de kring mensen rond en klampt nu wanhopig de buurvrouw aan. 'Dat zei ik je toch, Marwe?' Tranen beginnen weer te stromen. 'Het was een demon, of een heks. Halmo was bezeten. Hij zou niet zomaar uit het raam springen.'

Handen worden geschrokken voor monden gehouden, bange ogen zoeken naar geruststelling.

'Het was pijn. Niks bezetenheid, demonen of het kwaad.' Barhennio's stem doorboort alle ontsteltenis. 'Pijn dreef hem tot het uiterste.' Zijn woorden klinken nuchter. Ik vervloek en prijs hem erom.

Astil kijkt uitgedoofd toe. Ik moet huilen omdat ik me realiseer dat hij zo is geschrokken dat hij geen traan kan laten.

'Voor mij?'

'Ja. Per koerier bezorgd. Vijf minuten geleden afgeleverd bij de receptie.'

Madhu pakte een glanzende, zwarte envelop van Andama aan.

M. Mahavir, p.a. Andama B.V., Wellingboulevard 202, Mone-Daun, MD120023, stond op het etiket aan de voorzijde. De sluitflap aan de andere kant was verzegeld met een donkerrode sticker in de vorm van een kronkelend reptiel. Een salamandertje, zo te zien.

Voorzichtig scheurde Madhu de envelop open. Er zaten vier kartonnen kaartjes in. 'Het zijn toegangsbewijzen. Een show van een variétégezelschap. Entitas. Voor vanavond.'

'Daar heb ik weleens over gelezen. Zit er een briefje bij?'

'Ik geloof het niet.' Madhu vouwde de envelop helemaal open om zeker te zijn dat hij niets over het hoofd had gezien. 'Ja, toch wel.' Hij haalde een zwart velletje papier tevoorschijn en las voor wat erop stond: *'Wij willen elkaar zien. O.'*

'Mag ik eens kijken?' Andama bestudeerde de envelop, de kartonnen kaartjes en boodschap aandachtig. 'Dat theatertje waar de show plaatsvindt, ken ik wel van vroeger. Smaakvolle zaal.'

'Enig idee waar die O. voor kan staan?' vroeg Madhu.

'Nee. Maar ik verwacht dat het weer een tipgever is.'

'Dat denk ik ook.'

'Wat vind je ervan?'

'Ik denk dat het belangrijk is. Zal ik erheen gaan?' vroeg Madhu hoopvol.

'Ik zie er geen kwaad in. Marrus kan met je meegaan.'

Madhu wilde vragen of Andama zelf ook ging, maar bedacht zich op tijd. Het was voor Andama natuurlijk uitgesloten om mee te gaan. Behalve in het onwaarschijnlijke geval dat dit theater zich op de vierde of hogere verdieping van een gebouw bevond en ook nog eens was uitgerust met een landingsplaats voor luchtschepen.

'Ik denk dat ik vanavond maar thuisblijf,' knipoogde Andama, Madhu's gedachten lezend. Hij keek op zijn gouden horloge. 'Ik ga Marrus even inlichten. En dan moeten we jou snel gepaste kleding laten aanmeten.'

'Gepaste kleding? Aanmeten?'

'Ja, natuurlijk. Naar een gelegenheid als het Quarto Balto draag je avondkledij.'

Een halfuur later stond Madhu voor een grote verrijdbare spiegel, midden in Andama's salon. Twee mannen draaiden om hem heen, de een met een speldenkussen om zijn smalle pols en een krijtje in zijn hand, de ander met een slechte adem en een meetlint. Zoals twee uitgehongerde kippen – niemand zou hier een vergelijking trekken met hanen – met hun pas gevulde voederbak bezig zouden zijn, zo waren deze kleermakers druk in de weer met het pak voor Madhu. Ze plukten aan de mouwen, zetten stippellijntjes met het krijt, knepen te veel aan stof samen, prikten spelden in de stof, tilden de broekspijpen op en lieten ze weer vallen op zoek naar de perfecte plooi, onderling overleggend en knikkend. Uiteindelijk zaten er vierendertig spelden in de nachtblauwe smoking; negentien in het jasje met satijnen revers en vijftien in de broek met bies.

'Wij zijn gereed, heer Mahavir, heer Andama,' zei een van de kleermakers tussen de spelden in zijn mond door. De ander boog alleen. 'Zo moet het worden.'

'Uitstekend,' zei Andama, die vanuit een stoel had toegekeken en nu opstond om alles te inspecteren. 'Elum, wat denk je, is een satijnen tulband misschien toch een goed idee?'

'Nogmaals, heer Andama, houd het ingetogen. Bescheiden chic is pas echt chic. Dunne wol, geen satijn, zes meter. Zorgen wij voor.'

'Wat vind jij?' vroeg Andama aan Madhu. 'Zit het goed?'

Madhu bekeek zichzelf in de spiegel. Hij vond het wat overdreven dat er zo veel aandacht werd besteed aan een kostuum dat hij waarschijnlijk maar één keer zou dragen. Maar het zag er mooi uit, vond hij. En het zat prima. Dus hij antwoordde: 'Het ziet er mooi uit. En het zit prima.'

'Heer Andama geeft u het beste wat er te krijgen is.' Elum gleed met twee vingers over Madhu's jaspand.

'En we willen een wit hemd met dubbele manchet,' ging Andama door. 'Zilveren manchetknopen. Vlinderdas. Lakschoenen zonder veters. Overjas, handschoenen.'

'Natuurlijk, natuurlijk.' Elum boog en wendde zich tot Madhu. 'We zouden niets liever willen dan dat heer Mahavir een kasjmier overjas van het huis aanneemt. Wij zijn er trots op dat wij de redder van Mone-Daun mogen kleden.'

'Nee, dat hoeft echt niet,' zei Madhu. Hij voelde zich niet zo op zijn gemak. Natuurlijk was het best vleiend dat men vertrouwen in hem stelde. Maar hij vond dit vooral een dwingend gebaar, een gebaar waarin verplichting weerklonk. Hij was toch geen verlosser die door onderdanen begunstigd moest worden met dure geschenken? En dan dat buigen erbij. 'Dat kan ik echt niet aannemen.'

'Och, dat kunt u best. Doet u dan extra goed uw best voor onze stad. De mensen maken zich zorgen,' zei Elum.

'Het is aardig aangeboden, maar u kunt alles gewoon op mijn rekening zetten,' zei Andama. Hij knikte begrijpend naar Madhu.

'Het zal zijn zoals u wilt,' zei Elum met een blik naar de grond. 'Heer Mahavir, mag ik het pak van u aannemen? Wij zorgen ervoor dat alles vanmiddag om vier uur klaar is en hier wordt bezorgd.'

Elums collega reed de spiegel en het kledingrek richting de lift.

Slurpend nam Tatlo een slokje uit een kartonnen beker. 'Die Dilly's Bar maakt inderdaad heel aardige koffie.' Hij bestudeerde de beker met de zilvergroene tekening voor hij nog een slok nam. 'Wederom beter dan op het hoofdkantoor. Zet maar op de lijst, Lenolo.'

'Kijk, kijk,' zei Paslo, die met zijn voorhoofd tegen het raam zat geleund. Daar komt die Elum alweer naar buiten. Ik ga hem staande houden.'

'Op welke grond?' zei Tatlo.

'Redelijk vermoeden van medeplichtigheid.'

'De kleermaker? Medeplichtig?'

Maar Paslo was al uitgestapt.

De kleermakers waren nog geen tien minuten weg toen de telefoon ging. Andama nam op in de studeerkamer. Algauw ging de deur open en riep hij: 'Madhu, wil je de telefoon daar even nemen?'

'Hallo?' zei Madhu, toen hij de hoorn had opgepakt.

'Ja, met mij.' Andama's stem klonk gehaast. 'Ik heb Mirov aan de lijn. Hij wil met je praten. Ik luister mee.' Er klonk een klik.

'Madhu?'

'Dag, meneer Mirov.'

'Hallo, jongen. Ik begrijp dat ze je net een smoking hebben aangemeten, die vanmiddag al klaar moet zijn.'

'U laat zich wel goed informeren. Hoe weet u dat?' zei Madhu.

'De drieling was in de buurt en raakte met Elum in gesprek. Afgedwongen toeval.'

'Dat is een goeie.'

'Maar wat zijn de plannen? Eerlijk gezegd heb ik het gevoel dat je niet zomaar een avondje uitgaat. Er bromt iets achter mijn oor.' Mirov lachte smakelijk om zijn eigen kwinkslag. 'Ga je iets doen wat mij aangaat?'

'Dat vind ik een moeilijke vraag.'

'Waarom?'

'Omdat ik niet precies *weet* wat ik ga doen. En ik kan eerlijk gezegd moeilijk bijhouden wat u allemaal wel en niet aangaat in deze stad.' Madhu slaagde erin om sarcasme en welgemanierdheid in zijn toon te combineren.

'Als je iets gaat doen waarbij je meer te weten komt over de steen van Mosra-Ni, vind ik dat het ook in mijn belang is.'

'Ik heb wel een vermoeden dat het iets met de borduurzaak te maken heeft, ja.' Madhu dacht Andama afkeurend op de achtergrond te horen zuchten.

'Waar ga je heen dan?'

'Ik heb van een onbekende kaartjes opgestuurd gekregen voor een theateruitvoering. In gala.'

'O. Waar is het?'

'In de ... Een ogenblik.' Madhu reikte naar de tafel waarop de kaartjes lagen. 'Ja, in de Parkstraat.'

'Toch niet in het Quarto Balto?'

'Ja, het theater heet inderdaad Quarto Balto.'

'Prachtige gelegenheid. Wie treden er op?'

'Een gezelschap dat Entitas heet.'

'Entitas.' Mirov laste een eerbiedige pauze in. 'Meester-illusionisten, de trots van Mone-Daun. Dat zijn mannen die hun vak nog echt serieus nemen. Wist je dat artiesten die eenmaal beginnen bij Entitas, daar letterlijk hun hele leven moeten blijven werken?'

'Nee, dat wist ik niet.'

'Madhu, ik wil graag met je mee vanavond.'

'Meneer Firi wilde eigenlijk dat ik met Marrus zou gaan.'

'Wie is Marrus nu weer?'

'Marrus is de chauffeur waar ik al vaker mee op pad ben geweest. Iemand die me goed heeft geholpen bij de ontdekking van de connecties met het wandkleed.'

'Ik kan ook goed helpen. Hoeveel kaartjes heb je?'

'Vier.'

'Vier? Maar dan kunnen we toch allemaal mee? Jij, ik, die Marrus en een van de Cambrons voor wat extra veiligheid. Je weet nooit wat er kan gebeuren. Wat denk je ervan?'

'Dat moet ik even aan meneer Firi vragen.'

'Goeie genade, Madhu. Ik wil niet uit de hoogte doen, maar realiseer jij je wel dat ik normaal gesproken mijn best doe om juist *niet* naar dit soort gelegenheden te moeten gaan? Mosra-Ni zou me uitlachen als ze me zo zag bedelen om een avondje theater met een elfjarige.'

'Ik ben twaalf. In maart word ik dertien.'

'Twaalf dan. Dat verandert niks aan het punt dat ik maak. Maar ik weet het goed gemaakt: wat als ik je nu bewijs dat ik je vanavond goed kan helpen als een soort hulprechercheur?'

'Hoe bedoelt u dat? Hebt u aanwijzingen?'

'Wacht even; voor ik verder spreek wil ik eerst weten of we een akkoord hebben. Als ik jou nu, tijdens dit telefoon-gesprek, verbaas met een staaltje van mijn scherpzinnigheid, mag ik dan vanavond met je mee?'

Madhu dacht even na. 'Afgesproken.' Hij was vreselijk nieuwsgierig geworden. 'Maar dan moet het wel een heel sterk staaltje zijn.'

'Geen zorgen; hier komt het ...' Mirov haalde een keer diep adem. 'Ik weet zeker dat Firi met ons meeluistert.'

'Hoe weet u dat?' Madhu bloosde. 'U hoorde hem zeker zuchten. Of bespiedt u ons met een verrekijker? Al die door-zichtige wanden hier ook ...' Het was al eerder bij Madhu opgekomen dat Andama's verdieping heel weinig privacy bood.

'O nee, ik begluur jullie heus niet. Nee, Madhu, jij hebt jezelf verraden.'

'Ik? Mezelf? Hoe dan?'

'Je hebt tijdens dit gesprek twee keer *meneer Firi* gezegd. En die beleefdheidsvorm heb ik je de vorige keer alleen tegen Firi persoonlijk horen gebruiken. Toen je met mij alleen over Firi praatte, noemde je hem meneer Andama.'

Het lukte Madhu even niet iets terug te zeggen – dit was inderdaad zeer scherpzinnig van Mirov.

'Dus Madhu, én *meneer* Firi, hoe laat zal ik met de auto klaarstaan vanavond? Avondkledij verplicht, toch?'

VII

Sinds de dood van zijn vader Halmo, vandaag achttien dagen geleden, is er iets veranderd tussen Astil en mij. We horen bij elkaar, hoe vreemd ik het ook vind. Elke dag probeer ik te achterhalen wat er gebeurd is, stel ik mezelf vragen over de oorzaken van onze plotselinge versmelting. Zou het kunnen zijn dat ik Astil met andere ogen ben gaan bekijken nu hij de man in huis is geworden? Vind ik hem boeiender nu hij opeens geen jongen meer is, maar een familiehoofd van vijftien jaar oud? Handel ik soms uit medelijden en spoort een moederinstinct me aan lief voor hem te zijn? Of heeft Astil zonder de invloed van zijn strenge vader de moed gevonden om mij op een andere manier te benaderen?

Ik weet het niet. Waarschijnlijk is het van alles wat. Misschien heeft het wel niets te maken met de gebeurtenis van die nacht en waren we anders ook naar elkaar toe gegroeid. Het zou zelfs kunnen zijn dat we altijd al bij elkaar hoorden, zonder dat we het wisten.

In elk geval is het onmogelijk gebleken lang zonder elkaar te zijn. We grijpen elke gelegenheid aan om maar even samen te zijn. Nog nooit ben ik zo bereid geweest om voor Barhennio even vers brood, een extra voorraad brandhout voor de oven of een smeermiddel voor zijn rauwe keel te halen. Er zijn zo veel excuses te verzinnen om uit huis weg te kunnen, als je maar wilt. En ik wil, want iedere boodschap doe ik samen met Astil, die zich niet langer hoeft te verantwoorden als hij de deur uitgaat.

De afgelopen tijd heeft hij zelfs 's nachts een paar uur in mijn bed geslapen, de enige plek waar hij helemaal tot rust komt. Ongeveer twee weken geleden werd ik zonder aanwijsbare reden wakker, vlak voor de wachttorenklok drie uur sloeg. Ik voelde dat Astil buiten stond. Zonder een klopje of iets dergelijks af te wachten, ben ik naar de deur gelopen. Natuurlijk stond hij er. Ik heb zijn trillende hand gepakt, hem naar mijn bed geleid, in het stro gelegd en toegedekt. Binnen twee minuten klonk zijn ademhaling als de zee bij eb.

Ook nu zit ik naast mijn bed te luisteren naar hoe hij slaapt. Mijn hand ligt als een kompres op zijn voorhoofd en dankzij de laatste takken die in de haard smeulen, kan ik de omtrek van zijn opengevallen mond bestuderen.

Over een kwartier maak ik hem wakker en moet hij naar huis. Ik ben bang dat Barhennio hem vermoordt als hij hier achter komt.

Nog vijf dagen.

18 ZONDAG 14 JANUARI, 19.20 UUR

Madhu zou zich ongemakkelijk hebben gevoeld als hij wist dat de kleding waarin hij die avond rondliep meer waard was dan al het meubilair in de woonkamer van zijn oom Ranga. Maar onbewust van wat Andama voor zijn nieuwe pak had betaald, vond Madhu het best vermakelijk om eens zo chic gekleed te gaan. De smoking zat na de aanpassingen van Elum nog aangenamer dan zijn gewone kleren, de kalfsleren handschoenen waren heerlijk warm en vooral de tulband van nachtblauwe wol met de zilveren speld vond Madhu erg goed staan.

De anderen in de Ridelo Excellence – de drieling op de voorbank, Marrus links en Mirov rechts van Madhu – zagen er ook onberispelijk uit.

Zo weinig spraakzaam als Marrus was (vanaf het moment dat hij wist van het beruchte gezelschap waarmee hij de avond moest doorbrengen, had hij geen hap meer door zijn keel gekregen), zo geanimeerd was Mirov. De eerste helft van de autorit ratelde hij over hoe hij ooit eigenhandig een 'verdacht fortuinlijke' klant uit zijn casino had gezet. En op het moment dat ze voorreden bij theater Quarto Balto rondde hij juist een verhaal af over de moeilijkheden die hij gehad had bij het afhuren van de locatie waar hij met Mosra-Ni in het huwelijk ging treden: 'Dus je kunt je voorstellen dat ik niet gelukkig was toen ik … Ah, we zijn er.' Mirov keek door het geblindeerde raam. Een groepje mensen op de stoep reageerde toen zijn auto aankwam. 'Trek je vlinderdas maar recht, Madhu. Je wordt een bekende Mone-Daunenzer.' Tatlo, Paslo en Lenolo waren ondertussen al uitgestapt, en een van hen trok de achterdeur open.

'Hoezo, bekend?' vroeg Madhu nog, maar Mirov gaf geen antwoord meer en klom naar buiten.

'Dat zijn journalisten. En fotografen,' zei Marrus tegen Madhu. Hij knikte naar de figuren die zich op Mirov hadden gestort. 'Ik herken er een paar.'

'Wat doen die hier?' Madhu zag inderdaad een paar fotocamera's.

'Mirov zal ze wel hebben uitgenodigd. Hij is goede vrienden met de lokale roddelpers.'

'Ik ben hier vanavond inderdaad met mijn vriend Madhu Mahavir,' klonk Mirovs stem van buiten. 'Het leek me leuk om samen eens te genieten van het moois dat mijn stad te bieden heeft. Ah, daar is hij.'

Camera's klikten toen Madhu zijn hoofd uit de auto stak.

'Kom. Kom er gauw bij.' Mirov strekte joviaal zijn arm naar Madhu uit. Hij lachte breder dan normaal.

Madhu liet zich omarmen door Mirov en glimlachte mee.

'Meneer Mahavir, kijk eens hierheen,' riep een lange man met een camera op een eenpootstatief.

'Een moment voor *Betere Kringen*?' vroeg een ander. 'Meneer Mirov? Madhu Mahavir?'

'Jij hoort helemaal thuis in *De Rode Loper*, schatje.' Een fotografe maakte zich los van de groep en ging zo dicht bij Madhu staan dat hij zijn ogen moest dichtknijpen vanwege de flits. Lenolo kwam naar voren en duwde haar beheerst maar trefzeker weer naar achteren.

'Madhu, ik ben Melner Ole van *De Tijding*. Hoe ver ben je met het oplossen van de borduurzaak?' Een oudere man stak een microfoon richting Madhu. 'Ga je de dader vinden voordat de omwenteling plaatsvindt?'

'Dat, dat hoop ik wel,' antwoordde Madhu.

'Weet je wat Tempus Fugax gaat worden? Zou de borduurder het vierde tafereel ook weer zo letterlijk nemen, kunnen we skeletten verwachten?'

'Ik wacht nog op wat aanwijzingen, en … die komen vast wel.'

'Madhu zit erbovenop,' viel Mirov bij. 'Het is een lastige zaak, maar zijn gave draait op volle toeren. Meer kan hij er niet over zeggen.'

'En u dan, meneer Mirov? Er doen verhalen de ronde dat u vooral bezorgd bent over uw roze diamant. Dat u alles op alles zet om die te vinden. Of bent u ook wel een beetje bezorgd over de situatie in de stad?'

'Luister eens goed, Molne, of hoe je ouders je ook genoemd hebben.' Valsheid kronkelde in Mirovs stem. 'Ik ben meer begaan met het lot van deze stad dan wie ook. En ik hoop van harte dat jouw krant geen waarde hecht aan praatjes van mensen die helemaal nergens verstand van hebben.'

'U ontkent toch niet dat u een schrikbewind op de straten voert? De geruchten …'

'Verhalen, geruchten. U baseert zich op praatjes die niet de hele waarheid vertellen.' Mirovs venijn maakte alweer plaats voor diplomatie. 'Feiten, meneer Molne. Daar moet u als journalist mee voor de dag komen. Kom, jongen, we gaan een show bekijken. Goedenavond iedereen.' Mirov draaide Madhu om en porde hem de met kroonluchters verlichte entreehal binnen.

In het Quarto Balto was er plaats voor duizend gasten. Het was altijd uitverkocht. Op de avonden dat het theater open was – twee keer per week, op vrijdag en zondag – waren er vijfenzeventig in donkerrode uniformen gestoken personeelsleden aanwezig om het de gasten zo veel mogelijk naar de zin te maken: acht gastheren, acht garderobedames, twintig kelners, acht hulpkelners, vijftien serveersters en twaalf zaalwachten. Door de bordjes met het woord 'watercloset' te volgen, kon men nog vier juffrouwen bij de wc's vinden.

De foyer bruiste al van de drukte toen Madhu, Marrus, Mirov en Lenolo binnenliepen. Groepjes mensen stonden aan hoge tafeltjes te praten. Er werd koffie, een enkel glas spuitwater, sigaren, sigaretten, en vooral overmatig champagne geconsumeerd. Wie een lege champagnecoupe neerzette, hoefde niet lang te wachten op een vol glas. Juwelen en decolletés schreeuwden om aandacht, en met haarolie achterovergekamd mannenhaar glansde in het licht van de lampen aan het hoge plafond. Er werd een beetje geluisterd, veel gelachen en gekeken.

Mirov schudde onophoudelijk handen en stelde Madhu aan wel vijfentwintig mensen voor. Met iedereen maakte hij een beleefd praatje, telkens over een ander onderwerp maar met een passend gebrek aan inhoud, zodat hij weer verder kon naar een volgende bekende. Madhu was erg onder de indruk van de snelheid waarmee ze een tafeltje aan de andere kant van de foyer bereikten, zonder ook maar een van Mirovs kennissen, relaties, vrienden en vriendinnen het gevoel te hebben gegeven dat hij geen tijd voor hen had gemaakt.

Aanvankelijk maakte Madhu zich wat zorgen over Marrus, voor wie het duidelijk niet gemakkelijk was om te ontspannen. Bij de garderobe had Marrus namelijk een glimp opgevangen van de gevulde holster onder Lenolo's smoking-jasje, en in de foyer kwam hij tot overmaat van ramp ook nog eens een neef tegen, die hem raar had aangekeken toen hij zag dat een familielid op pad was met Dendessi Mirov.

Maar na een paar glazen champagne en wat toenaderingen van Mirov werd het ijs alsnog gebroken. Er ontstond een gemoedelijke sfeer, en het drietal – Lenolo keek alleen maar zwijgzaam om zich heen – liet zich uiteindelijk keuvelend en lachend naar hun plaatsen leiden toen de voorstelling ging beginnen.

De kaartjes die Madhu opgestuurd had gekregen, bleken toegang te geven tot de presidentiële loge, het grootste balkon recht tegenover het toneel. Zonder twijfel de beste plaatsen in het theater.

'Zo gaat dat dus, Marrus.' Mirov liet zich onderuitzakken in een van de vier fauteuils en kneep goedkeurend in zijn arm-leuning. 'Dit knaapje is amper een week in de stad of hij krijgt al meer voor elkaar dan ik. Moet je zien; bloemen, een goed-gevulde bar, kristallen glaswerk, leren bekleding. En zonder er iets voor te betalen ook nog.'

'Inderdaad, Madhu, meneer Mirov heeft gelijk …'

'Marrus! Als je me nog een keer meneer noemt, dan …' Schertsend stak Mirov zijn hand in het jasje van Lenolo, die links van hem zat.

'Mijn excuses. Dendessi. Dendessi.' Marrus maakte geba-ren van verontschuldiging en draaide zich naar Madhu. 'Heb-ben jij of meneer Andama echt geen idee van wie deze uitno-diging afkomstig is?'

Madhu haalde zijn schouders op. 'Nee.'

'Geen enkel voorgevoel gehad?' vroeg Mirov.

'Echt niet. Maar ik weet zeker dat we vanavond meer duidelijkheid zullen krijgen.'

'Zo mag ik het horen. En laten we er ook maar van gaan genieten. Kom op, we schenken wat in. Marrus, nog wat champagne?'

De lichten gingen langzaam uit. De stemmen in de zaal verstomden.

'Daar gaan we,' fluisterde Mirov tegen Madhu.

Diepe paukenslagen weerklonken. Pianoakkoorden. Twee spots wierpen rondjes wit licht op het lege toneel. Madhu leunde voorover tegen de balustrade, niet wetende dat er een voorstelling ging beginnen die hem zijn hele leven bij zou blijven.

19

De paukenslagen daverden ongeveer een minuut door. Toen ze ophielden, stapte er een vrouw vanachter de coulissen tevoorschijn. Ze nam plaats in een van de lichtcirkels. De pailletten van haar rode jurk fonkelden.

'Mijn naam is Zoet. Ik ben een mens van vlees en bloed,' zei ze.

Het was tien seconden stil voor ze verder sprak: 'En dat is echt waar.'

Vanaf de andere kant van het toneel kwam een man op. In een zwart pak, met zwarte puntschoenen en een satijnen beulskap. Hij duwde een roestig karretje voort met een laken eroverheen. Het piepen van de wieltjes was als nagels op een krijtbord.

'Ik ben Bitter,' zei hij, eenmaal in de andere lichtcirkel. 'Ik ben instrumentariumartiest.'

Weer ging tien seconden voorbij. 'En hiermee gaan wij optreden.' De man trok het laken weg. Vanaf het balkon kon Madhu een aantal voorwerpen herkennen die op het karretje lagen uitgestald. Bijlen, lange vorken, hakmessen, blinkend in het licht. 'Zijn er mensen in de zaal met zwakke zenuwen?'

Het publiek grinnikte.

'Ik maak geen grapje.'

Gelach.

'Denken jullie soms dat ik hier als komiek sta?'

Mensen keken elkaar aan om na te gaan of ze de man op het toneel serieus moesten nemen.

'Mocht er toch iemand met zwakke zenuwen naar binnen zijn geglipt: houd jezelf dan maar voor de gek en doe maar net of dit allemaal trucs zijn.'

Nog maar een paar aanwezigen lachten nu.

'We beginnen,' zei Bitter.

Twee mannen reden een blankhouten wand van drie meter hoog het toneel op.

Zoet liep op haar hoge hakken naar de wand en ging er met haar rechterzij tegenaan staan. Ze boog soepel achterover, tot ze in een brug stond, op haar handen en voeten.

Bitter verkwistte geen tijd en gooide meteen een vork in de richting van zijn assistente. Deze kwam terecht in haar lange, krullende haar, dat los naar de grond bengelde. Hij gooide nog een vork, en nog een, en nog een. En nog een. Allemaal in de dikke bos haar, zodat Zoets hoofd geen kant meer op kon.

Zoals het een goede assistente betaamt, bleef ze vriendelijk glimlachen.

'Zit je goed vast, Zoet?' vroeg Bitter.

Zoet probeerde te knikken, maar werd tegengehouden door haar vastgepinde haar. 'Ja,' zei ze.

'Dan gaan we verder.' Bitter zocht tien scharen uit en gooide deze rond Zoet in de wand. Er werd geklapt. Met de volgende serie scharen werd Zoets nauwsluitende jurk op vier plekken doorboord; bovenop, waar de stof het strakst gespannen zat, scheurde de jurk wat in en kwam een deel van haar buik bloot te liggen. Mannen joelden.

Onmiddellijk belandden er twee grote vleesmessen vlakbij Zoets kleine neus.

Het publiek huiverde en klapte opnieuw. Het was Madhu toen pas opgevallen dat Bitter met links gooide.

'U kunt zich voorstellen, dat het voor mijn assistente erg zwaar is om deze positie lang vol te houden,' zei Bitter tegen de mensen in het donker. 'Daarom wil ik haar wat ondersteuning geven.' Hij trok langzaam een anderhalf meter lang zwaard van de kar en liet het licht van de spots erop reflecteren. 'Hiermee.'

Gemurmel ging door de zaal. Ging deze man dat gigantische zwaard echt naar zijn assistente gooien?

Door het op ooghoogte voor zich uit te strekken, inspecteerde Bitter of het zwaard goed recht was. Met zijn vingers controleerde hij de scherpte van de punt. Hij beproefde het zwaartepunt, ergens op het onderste deel van de kling, door het wapen op twee vingers te balanceren. Toen hij tevreden leek over de conditie van het zwaard, pakte hij het bij de greep en begon hij rondjes te draaien. Om zijn as, als een kogelslingeraar die zijn kogel verruild heeft voor een enorm slagwapen. Na vier rondjes riep hij: 'Zoet? Ben je klaar?' Het staal liet strepen witblauw achter.

'Ik ben klaar,' zei Zoet met haar heldere stem.

Het publiek was stil.

Men vroeg zich af hoeveel langer Bitter nog kon rondtollen voor hij zijn evenwicht ging verliezen. Op het midden van de eerste rij dook het publiek verontrust opzij voor het voorbijzoevende wapen.

Het zwaard werd een zilveren schijf, Bitter vervaagde tot een zwarte cilinder in het midden ervan.

Er klonk een harde klap.

Pas na een paar seconden beseften de eerste toeschouwers

wat er was gebeurd. Mensen wezen aan waar het zwaard diep in de houten wand zat geboord. Het stak vlak onder Zoet uit, zo geplaatst dat de assistente haar prachtig gewelfde onderrug erop kon laten rusten.

Het was goed afgelopen. Volmaakt zelfs.

Applaus kwam aarzelend op gang, als water door een beginnend scheurtje in een stuwdam. Maar uiteindelijk besefte iedereen wat een meesterlijke prestatie hier was geleverd, en een vloedgolf van opluchting en bewonderend gejuich spoelde door de zaal.

'Geweldig, hè?' zei Madhu tegen Marrus, terwijl ze allebei zo hard als ze konden in hun handen klapten.

Marrus knikte enthousiast terug.

'Genoeg.' Bitter maakte een bezwerend armgebaar, waarop het publiek onmiddellijk stilviel. De zaal was na het bravourestuk met het zwaard als was in de handen van de gemaskerde man op het toneel.

'Ik ga nu iets anders voor jullie doen. Iets nieuws. Iets echt gevaarlijks.' Bitter liep naar de coulissen en kwam terug met een apparaat op wielen. In zijn hand hield hij een stuk gereedschap met een lange slang eraan vast.

'Dit is een spijkerpistool op luchtdruk.' Bitter wees op het gereedschap in zijn linkerhand. 'Dat sluit ik aan op deze compressor hier.' Met een klik zat de slang vastgekoppeld. 'Compressor opstarten gaat als volgt …' Na een druk op een knop sprong de compressor aan. Er klonk gesis van perslucht. 'Spijkers erin.' Uit een doos pakte Bitter een strip lange spijkers.

'Zo. De beveiliging is verwijderd, dus het werkt precies zoals ik wil.' Bitter richtte het spijkerpistool op de toneelvloer en drukte vier keer achter elkaar af. Naast zich voelde Madhu

Mirov opschrikken van de vinnige metaalachtige tikken die van het gereedschap kwamen.

Met een houten balkje dat klaarlag op de kar, liep Bitter naar Zoet. 'Wil je dit vasthouden?' vroeg hij haar. 'Ja, iets hoger nog.' Zoet kon, dankzij de steun die ze kreeg van het zwaard dat onder haar in de wand stak, haar linkerhand van de grond afhalen en de balk boven zich houden.

Bitter liep van haar weg tot aan de rand van het toneel, waar hij vanuit de heup aanlegde. Met drie rake schoten spijkerde hij de balk in Zoets hand aan de wand.

De toeschouwers klapten en gingen verzitten; opgewarmd voor iets nieuws, verlekkerd.

Er werd een wit doek naar beneden gelaten, waardoor Zoet niet langer te zien was, noch voor het publiek noch voor Bitter.

Met een schokkende nonchalance begon Bitter spijkers in het laken te schieten – opnieuw vanuit zijn heup, maar ook achterlangs zijn rug en achterstevoren, zelfs gebukt tussen zijn benen door. Na ongeveer twintig schoten waren de contouren van zijn assistente zichtbaar.

'Daar is ze alweer,' zei Bitter. 'En nu preciseren.' De volgende reeks spijkers spande het doek zo strak om het lijf van Zoet dat Madhu het op- en neergaan van haar ribben kon onderscheiden.

'Zoet, wil je even laten horen en zien dat alles goed is?'

'Ik ben in orde,' klonk Zoets stem. Ze bewoog met haar linkerhand, voor zover het knellende doek het toeliet.

Door zijn armen wijd te doen, maakte Bitter duidelijk dat het publiek even mocht klappen voor wat er was vertoond. En dat gebeurde. Men ging zelfs staan om deze roekeloze artiest toe te juichen.

'Genoeg,' zei Bitter alweer snel, het applaus in de kiem smorend. 'Het is wel genoeg zo.'

Madhu kreeg steeds meer de indruk dat Bitter niet bijzonder genoot van het succes bij zijn publiek.

'Ik beveel jullie geen enkel geluid meer te maken,' sprak Bitter verder. 'Stop zo nodig met ademhalen. Voor mijn definitieve worp moet het volkomen stil zijn.'

De spot die aldoor op de zwarte wand had geschenen, werd gedoofd, waardoor Zoet achterbleef in het donker. Bitter stond in een bundel gelig licht op de voorgrond.

Hij pakte een bijl die na een korte inspectie niet bleek te voldoen, want Bitter legde hem zichtbaar geërgerd aan de kant. Nog een paar bijlen werden op dezelfde manier afgekeurd. Pas de vijfde bijl die hij van het karretje haalde, vond Bitter geschikt voor de worp die nu ging volgen.

Zijn linkerhand spande en ontspande zich een paar keer om de steel. Hij blies een zucht van concentratie voor hij langzaam zijn arm optilde tot naast zijn oor. Toen kwam de worp: een lange zwaai, afgerond door een venijnige zwiep van zijn pols.

Het moment waarop de bijl Bitters hand verliet, viel praktisch samen met het geluid van de bijl die doel raakte. Deze worp was niet alleen veel krachtiger geweest dan de vorige, het geluid van de inslag was ditmaal ook volkomen anders – er volgde geen klap zoals eerder. Dit keer klonk er een plof, vermengd met zacht gekraak. Iedereen had gehoord dat Bitter geen hout had geraakt.

De tweede spot ging onmiddellijk weer aan en zette de wand, het laken en Zoet eronder in fel licht.

Er klonken een paar damesgilletjes. Geschrokken zuchten. Onbewust greep Madhu de arm van Marrus.

De bijl was tot aan de steel in Zoets ribbenkast gezonken. Er waren geen ademhalingsbewegingen zichtbaar.

Bitter keek provocerend de zaal in, zijn toeschouwers uitdagend hem te veroordelen voor de vreselijke fout die hij had gemaakt. Als het al een fout was geweest.

Maar niemand veroordeelde hem. Hoewel iedereen had gezien wat er gebeurde, was er niemand die het echt geloofde. In het Quarto Balto zat die avond een wereldwijs publiek; toeschouwers die zich inmiddels realiseerden dat ze keken naar een truc, een illusie zoals aan het begin van de act was beloofd. Iedereen wist dat er geen moorden op het toneel werden gepleegd.

Men had genoten van de vluchtige schrik en ontzetting, maar liet zich niet langer misleiden door deze man die, hoe bedreven ook, niets meer of minder was dan een illusionist.

Iemand lachte. En nog iemand. Gefluit.

'Kom op, volgende truc,' schreeuwde een man.

'Hij nam niet eens de moeite om nepbloed te gebruiken,' hoorde Madhu Lenolo tegen Mirov fluisteren.

Bitter haalde zijn schouders op, draaide zijn rug naar het publiek en liep weg.

VIII

Zaterdag 11 januari 1539, middag

Op het moment dat de blaren aan de binnenkant van mijn handen aanvoelen alsof ik er een stuk perkament mee kan aansteken, neem ik me voor nog tweehonderd bewegingen met de stamper te maken. De grijsgroene pap in de beker moet volkomen glad zijn, anders wordt het minder goed verteerd.

Boven ijsbeert Astil door de kamer. On-ge-rust, on-ge-rust, klinkt in het ritme van zijn stappen. Maar-wel-dicht-bij-el-kaar, hoor ik ook. Hij is nog meer gespannen dan ik, en om andere redenen. Zijn grootste zorg is dat Barhennio onverwachts terugkomt en mij zonder zijn toestemming in het lab aantreft, rommelend met zijn instrumenten en ingrediënten. Astil noemt het erg onverstandig, gevaarlijk zelfs dat ik mijn meester help met zaken waarmee hij niet geholpen zegt te willen worden.

Ik zie het anders, en wie kent Barhennio uiteindelijk het beste? Ik kan niet wachten om het dankbare gezicht van mijn meester te zien wanneer ik hem vanavond het eindresultaat in handen geef van ons jarenlange onderzoek en experimenteren. Het zal hem uiteindelijk niet uitmaken dat ik ongehoorzaam ben geweest en in het geheim veranderingen in de formule heb doorgevoerd. Natuurlijk zal ik hem op het hart drukken dat ik geen enkele erkenning verwacht en dat hij alle eer krijgt. En dat vind ik ook niet meer dan eerlijk. Barhennio heeft per slot van rekening de basis van het recept bedacht, de materialen en grondstoffen geleverd, de Orde opgericht, de weg gebaand voor een nieuwe wereld. Een wereld waarin een selecte groep mensen zich nooit meer zorgen hoeft te maken over ouder worden en zich zorgeloos kan wijden aan vooruitgang en andermans geluk.

Onsterfelijkheid. Onkwetsbaarheid.

Genoeg gemalen. Ik leg de vieze vijzel op de tafel en zet de beker in het kelderraam om de pap verder te laten indikken. Over een uur moet er nog wat kattengal bij en dan is het hele-maal klaar.

Mijn linkeroog prikt. Ik heb er per ongeluk wat van die pap ingesmeerd. 'Kluns,' zeg ik zacht tegen mezelf. Ik ben op weg naar de koperen waterbakken tegen de muur, maar sla halverwe-ge dubbel en grijp in blinde paniek naar mijn oog. Pijn! Vuri-ge glassplinters snijden mijn oogbal open en spugen in zuur gedoopte naalden naar binnen. Met twee handen op mijn oog-kas gedrukt, ren ik richting de trap. 'Astil!' gil ik naar boven. 'Dat spul zit in mijn oog. Help me!' De pijn giert achter mijn oog door naar mijn nek en hals. Mijn gezicht staat in brand, alles wordt wazig. Langzaam begint mijn linkerarm te tintelen. Ver-giftiging. Een kreet van angst borrelt uit me op. Mijn oriënta-tievermogen is verdwenen en ik stommel als een dronkaard in het rond. Ik sta op en val weer om, in de houten stellage met het glaswerk.

Ik hoor Astil op de trap.

Glas klettert en knarst, en ik voel nog hoe iets kouds bij mijn ribben naar binnen dringt. Warme vloeistof druipt stroperig langs mijn zij.

20

De Entitas-show was nog lang niet voorbij na het optreden van Bitter en Zoet. Er volgden eerst nog twee andere acts, met eveneens noodlottige afloop voor de uitvoerende artiesten. Levende kanonskogel Wolfraam begon met een paar geslaagde lanceringen. Tijdens een daarvan kwam hij vlak langs de presidentiële loge gevlogen en zwaaide hij in het voorbijgaan naar Madhu, Mirov, Marrus en Lenolo. De laatste keer vulde zijn assistente het kanon echter met een driedubbele lading kruit, waardoor Wolfraam zo hard werd afgeschoten dat hij de deur van de nooduitgang versplinterde en verwrongen in een hoek eindigde.

De act van boeienkoning Mangaan draaide uit op een knetterend vonkenspektakel, toen er een lamp van het plafond in de watertank viel waaruit hij had moeten ontsnappen.

De vierde en laatste act werd door een donderende stem aangekondigd als Het Ovalen Steekspel. Een man in een lang wit gewaad verscheen op het toneel. Hij stelde zichzelf voor als Ovaal.

Op dat moment schonk Mirov iedereen nog een drankje in.

Ovaal hield in elke hand drie degens. Om te laten horen dat ze echt van metaal waren, sloeg hij ze eerst stuk voor stuk tegen elkaar aan. Daarna kantelde hij zijn hoofd naar achteren en opende hij zijn mond. Traag duwde hij de eerste degen zijn keel in, totdat alleen de greep nog uitstak. Een applausje later verdween de tweede degen naar binnen. In de zaal was te horen hoe diep in zijn slokdarm metaal over elkaar schuurde. En zo ging het door, tot alle zes degens ingeslikt waren. De bos staal sperde Ovaals mond zo ver open dat zijn lippen leken te scheuren.

Het publiek smulde en klapte uitbundig.

Geroffel klonk en kondigde, zoals iedereen verwachtte, een overtreffende trap aan.

Volgepropt met de zes degens ging Ovaal op zijn handen staan. Sommige toeschouwers (tot Madhu's verrassing ook Dendessi Mirov) wendden geschokt hun hoofd af. Ovaal liet zich namelijk door zijn armen zakken, zodat hij met zijn volle gewicht op de uit zijn mond stekende handvatten kwam te balanceren. De degens werden nog dieper naar binnen gedreven, totdat ze vastliepen op Ovaals tanden.

Iedereen was buiten zinnen toen de degenslikker weer rechtop stond en lachend de laatste degen uit zijn slokdarm had getrokken.

Op dat moment trok een siddering langs Madhu's rug omhoog. Een die niets te maken had met wat hij zag gebeuren op het toneel.

'Dank u. Dank u,' zei Ovaal. 'Voor de volgende en laatste act van vanavond heb ik iemand uit het publiek nodig. Iemand die ik kan vertrouwen. Iemand die het verschil ziet tussen realiteit en verbeelding.'

Een lichtvlek gleed over de hoofden beneden in de zaal.

Madhu hield alvast zijn hand boven zijn ogen, zodat het licht hem zo meteen niet zou verblinden. Hij wist dat hij uitgekozen zou worden.

'De jongeman daarboven op het balkon,' zei Ovaal, toen

de spot Madhu had gevonden. Natuurlijk, dacht Madhu. De hele zaal draaide zich om en keek omhoog.

'Wilt u even naar beneden komen om mij te helpen?' Het klaterende applaus overstemde bijna het gebrom dat Madhu achter zijn rechteroor hoorde.

'Pak ze, jongen,' zei Mirov toen Madhu het balkon verliet.

Via de verlaten trappen rende hij naar de benedenverdieping.

'En daar is mijn moedige helper,' zei Ovaal toen Madhu door de klapdeuren achter in de zaal binnenkwam.

'Dat is die Mahavir ... Andama's detective ... uit de kranten ... De borduurder ...' Madhu hoorde mensen fluisteren toen hij over het flauw verlichte middenpad naar de voet van het toneel ging en het trapje op klauterde.

'Goedenavond,' zei Ovaal. 'Vertel iedereen eens hoe je heet.'

'Madhu,' zei Madhu, zo luid en duidelijk als zijn zenuwen hem toelieten.

'Wij kennen hem al,' riep iemand vanuit het donker. 'Van het nieuws.'

'Zeg Madhu, vraag hem anders eens of hij Andama's gestolen spullen tevoorschijn kan toveren,' riep een ander.

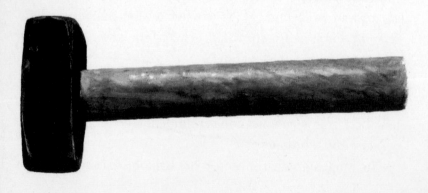

Er werd gelachen. Voorzichtig weliswaar, aangezien de meesten wel hadden gezien dat Madhu hier met Dendessi Mirov was gekomen.

'Het lijkt erop dat ik een beroemdheid het podium heb opgehaald.' Ovaal knipoogde naar Madhu. 'Ik ben blij dat hij de tijd neemt om mij even te helpen. Madhu, mag ik even?' Ovaal boog zich voorover en ging met zijn rechterhand in Madhu's linkermouw. Zijn hand kwam terug met drie roestige breinaalden. Twee ervan waren wat korter en dikker. 'Dank je. En nu nog dit …' Meteen toen Ovaal zijn linkerhand in Madhu's binnenzak stak, voelde Madhu zijn jasje opeens erg zwaar worden. Lachend haalde Ovaal een hamer tevoorschijn. 'Precies wat we nodig hebben. Madhu, we kunnen beginnen.'

Ovaal ging in kleermakerszit op het toneel zitten en schoof een breinaald in ieder neusgat en in zijn linkeroor. De hamer gaf hij aan Madhu. 'Ga je gang,' zei hij.

Het ontstelde gezicht van Madhu maakte de toeschouwers aan het lachen.

'*Wat* wilt u precies dat ik doe?' vroeg Madhu.

'Zou je zo goed willen zijn om met de hamer op de breinaalden te slaan?'

'Slaan?'

'Op de breinaalden.'

Geschater. Dit was hilarisch, juist omdat iedereen zich zo levendig kon voorstellen hoe ongemakkelijk de jongen op het toneel zich moest voelen.

Madhu keek naar de pennen in de openingen van Ovaals gezicht. De hamer lag zwaar in zijn rechterhand. 'Dat durf ik niet.'

Doordat Ovaal zijn hand even onopvallend voor zijn mond hield, zag het publiek niet dat hij tegen Madhu fluisterde: 'Speel het spel maar met me mee,' zei hij. 'Misschien verklap ik je de truc later wel. Sla nu maar.'

Het duurde tien seconden voordat Madhu zich door een nieuwe haag van twijfel en weerzin had geworsteld. Maar uiteindelijk stapte hij toch op Ovaal af. De naalden in de neus leken hem om de een of andere reden het minst griezelig. Het linkerneusgat dan maar. 'Hoe hard?' vroeg hij hardop.

'Hard. Alsof je een lange spijker in een boom moet slaan.'

Madhu haalde diep adem voor hij een zacht tikje tegen de naald gaf. Het geluid van de hamerkop tegen de metalen naald echode door de doodstille zaal. De breinaald was niets verder het neusgat in gegaan.

'Goed zo. En nu hard. Kom op, jongen, uithalen.'

'Echt?'

'Laat me zien wie je bent. Geef je over.' Ovaals blik op Madhu werd onderzoekend. Speurend. Doorgrondend.

De volgende tik die Madhu gaf, dreef de breinaald zeker twee centimeter de neus in. Het publiek huiverde.

'Meer,' riep Ovaal.

Opnieuw sloeg Madhu. Nog harder. Met een gemak dat

Madhu misselijk maakte, schoof de naald volledig de neus in.

'De andere naald!'

Met een enkele, goedgedoseerde slag joeg Madhu de breinaald tot aan het afgeronde uiteinde in Ovaals rechterneusgat.

'Goed zo. En nu nog mijn oor.' Ovaal wees op de linkerkant van zijn hoofd.

Op dat moment voelde Madhu een onbekende emotie over zich heen komen. Het was alsof zijn ziel werd blootgelegd, hier op het toneel, en deze man met breinaalden in zijn neus en oor keek ernaar.

'Alles wat je hebt,' zei Ovaal.

Met twee handen greep Madhu nu de hamer. Hij knikte naar Ovaal, wiens ogen priemden als sondes. Madhu vertrouwde hem, er zou niets misgaan.

Hij haalde uit, voelde misschien de weerstand van het trommelvlies. Knappend gleed de naald door alles wat daarna kwam, totdat de punt er met een plop aan de andere kant van het hoofd weer uitschoot – iets onder het rechteroor, vlak naast het loodrechte gedeelte van de onderkaak.

Er klonk gegil vanuit het publiek. Een ongecontroleerde zucht alsof iemand flauwviel.

Toen stilte.

Madhu en Ovaal keken elkaar nog een paar seconden aan.

Breed lachend begon Madhu te applaudisseren, voor Ovaal. Voor de overweldigende truc. Ovaal knikte naar Madhu en stond op.

Ook het publiek begon uitgelaten te klappen, te joelen en te juichen.

'Wat leek dat vreselijk echt.' Madhu moest heel hard praten om boven het kabaal uit de zaal uit te komen. 'Niet dat ik weet hoe het voelt om een pen door iemands hersenpan te slaan, maar dit stelde ik me er wel bij voor. Hoe deed u dat? Schuiven die dingen in of zo?'

'Vanavond vertel ik niets,' antwoordde Ovaal. Hij klonk neusverkouden, vanwege de breinaalden. 'Laten we een buiging maken.' Hij greep Madhu's hand en trok hem naar beneden. 'Kom morgen om twaalf uur 's middags naar de hoofdingang van het Park Stilter. Wij zijn degenen die jou hier vanavond hebben uitgenodigd.'

'Park Stilter?' herhaalde Madhu. 'Zegt u Park Stilter?'

Ovaal knikte ondersteboven.

'Wie is *wij*? Wie bent u?' vroeg Madhu, maar Ovaal trok hem omhoog en na een seconde weer naar beneden.

'Daar kom je nog wel achter. Beloof me dat je met niemand over ons praat,' sprak Ovaal tijdens de tweede buiging, opnieuw uit het zicht van het publiek. 'En neem niemand mee.'

'Maar als ze willen weten waar ik morgen naartoe ga? Wat als ze vragen hoe ik aan deze afspraak ben gekomen?'

'Dan zeg je de waarheid: dat je niet weet waar je heen gaat. Of verzin iets anders, je gaat me niet teleurstellen. Dat heb ik net gezien. Tot morgen.' Ovaal ging rechtop staan en knipte met zijn vingers.

Voor Madhu nog meer kon vragen, werd hij door twee toneelknechten van het toneel geloodst.

Het doek werd gesloten.

In de auto op weg naar huis had Madhu de grootste moeite het vragenvuur van Mirov en Marrus te doorstaan zonder zijn belofte aan Ovaal te verbreken. Marrus noemde het 'volkomen ongeloofwaardig' dat Madhu toevallig was uitgekozen om te assisteren. En dat de naam van de betreffende artiest ook nog eens met een O begon – de letter onder aan de uitnodiging bij de kaartjes – maakte het voor Madhu niet gemakkelijker om ontwijkend te antwoorden.

Nog erger was dat Mirov, opmerkzaam als hij was, vanaf het balkon had gezien hoe Ovaals mond had bewogen tijdens de buigingen. Natuurlijk wilde hij weten wat er was gezegd.

'Dus je wilt volhouden dat die degenslikker niets interessants te vertellen had?' zei Mirov. Hij had veel champagne gedronken en klonk ongeduriger dan normaal. 'Kom op, Madhu. Ik zag aan je gezicht dat er iets was. Hou me niet voor de gek. Heeft die Ovaal je in het geheim iets verteld? Een aanwijzing of zoiets?'

'Ik weet niets, meneer Mirov. Ik denk dat u aan me zag hoe aangeslagen ik was door die truc.' Madhu probeerde het gespreksonderwerp te veranderen: 'Hebt ú weleens breinaalden in iemands oor gehamerd?'

'Nee, daar heb ik personeel voor.' Mirov knipoogde even naar Lenolo, die daarop een glimlach forceerde die Madhu liever nooit had gezien. 'Maar we gaan er even niet overheen praten, slimmerik. Voelde je ergens op deze avond nog een tinteling, een ingeving van je intuïtie?'

'Niet meer dan normaal.'

'O, dus je hebt wel een signaaltje gehad, begrijp ik,' dramde Mirov door.

Madhu zweeg.

'Is er iets wat je niet *mag* zeggen?' begon Marrus nu weer.

'Er is alleen maar verwarring, en die hou ik liever even voor mezelf.'

'Maar wanneer ga je dan wel iets vertellen? Morgen? Over-morgen?' Mirov gaf nog niet op. 'Het gaat ook om mijn dia-mant. Je kunt niet doen of het alleen jouw detectivezaakje is.'

'Weet ik. En ik beloof u dat ik ga helpen. Maar nu moet u me even met rust laten.' Madhu draaide zijn hoofd weg en keek naar buiten. 'Ik doe mijn best. Meer kan ik niet doen.'

Dat deed het. Mirov besefte nu dat het ongepast was om zijn nieuwsgierigheid nog langer op deze jongen – want dat was Madhu toch nog echt – te botvieren.

Gedurende de rest van de rit werd er nauwelijks nog ge-sproken. Toen ze eenmaal voor de deur van Andama's gebouw waren aangekomen en iedereen afscheid van elkaar nam, pak-te Mirov Madhu's hand stevig beet en zei hij: 'Mijn excuses als ik je net te veel onder druk zette.'

'Ik begrijp het wel,' antwoordde Madhu. 'Tot binnenkort. Bedankt voor de lift.'

'Zal ik je morgen even bellen?' riep Mirov Madhu na. 'Om te horen of je al iets meer te weten bent gekomen?'

'Een prettige avond nog,' riep Madhu met opgestoken hand terug, zonder nog eens achterom te kijken voor hij samen met Marrus het gebouw binnen ging.

21

De voorman van bouwproject Noorderdok 3 had die zondagavond een voltallige nachtploeg opgetrommeld, ondanks de voorspelde sneeuwstorm die het werk zou kunnen bemoeilijken. Ze liepen achter op schema en er moest continu worden doorgewerkt, sneeuw of geen sneeuw.

Elf bouwvakkers stonden daarom bij afslag veertien te wachten om hun collega's af te lossen. Het vroor zeker vijftien graden. Er werd gerookt en een thermoskan sterke koffie ging rond. De meeste Mone-Daunenzers zaten lekker binnen, dus er passeerde weinig verkeer.

'Ben ik gek aan het worden, of zie ik feestverlichting daar op het water?' vroeg een van de timmerlieden, een jongeman die in zijn vrije tijd graag schilderde. Hij wees naar de rivier de Nogar.

Degene die op dat moment de thermoskan vasthield, een metselaar, was de enige die naar de timmerman luisterde en in de richting van de rivier keek. 'Wat is dat? Jongens, jongens, kijk eens.'

Een voor een begonnen ook de andere bouwvakkers tussen de bomen en het struikgewas door naar het water te turen, waar inderdaad lichtjes flakkerden.

'Er is vast een veerpont vastgelopen,' zei iemand.

'Of misschien is het een losgeslagen woonboot, die liggen hier verderop in de bocht genoeg,' suggereerde een ander.

'Ik ga kijken.' Een dakdekker met een slechte rug bukte moeizaam om de tas te pakken waarin zijn zaklamp zat. Met de lamp in zijn hand begon hij zich langzaam een weg door de besneeuwde begroeiing te banen. Na een keer vloekend te zijn uitgegleden, tot grote hilariteit van zijn collega's, bereikte hij de oever. De man paste nu extra goed op; hij was bang om in het water te vallen.

's Zomers was de Nogar een bedaarde stroom, die boten met toeristen vervoerde langs de karakteristieke huisjes aan de wal. Zwanen dobberden dan mee in het bruinlauwe kielwater. Maar 's winters, wanneer aanhoudende neerslag de waterloop opvulde, werd de Nogar een onbetrouwbare kolk zwart ijswater. Het was een woelige rivier die door de eeuwen heen heel wat Mone-Daunenzers had overrompeld en verzwolgen.

En midden op die rivier, die bij afslag veertien veel breder was dan in de oude binnenstad, ontdekte de dakdekker een vlot. Het schijnsel van de vijf fakkels die erop stonden was net voldoende om de contouren te laten zien van wat mensen zouden kunnen zijn.

Toen de dakdekker zijn lamp op het vlot richtte, duurde het twee seconden voor hij opnieuw hardop begon te vloeken. Ditmaal van verbijstering en afschuw. Het vlot dat aan beide oevers vastzat met een lange ketting, was namelijk niet overladen met mensen, maar met levensgrote, weerzinwekkende poppen. Ledematen van met lappen omzwachtelde botten staken in rompen van zakken die bij nader onderzoek koeienmagen zouden blijken. De poppenhoofden waren gemaakt van samengebonden repen roze vlees, waarop met ijzerdraad wit orgaanvlees was geprikt als ogen. Sommige poppen droegen hoeden, andere pruiken. Er wapperden jurken en wollen vesten.

De lugubere poppenbemanning werd op het vlot bijeengehouden met touw, ijzerdraad en gesmolten teer dat overal overheen gespetterd was. De meeuwen lieten zich niet door het licht en het geschreeuw van de dakdekker wegjagen en pikten onafgebroken in op de bevroren resten slachtafval.

Er was een kalmte over Madhu neergedaald na het bezoek aan het Quarto Balto. Hij voelde zich even niet opgejaagd en wist ook precies waar deze stemmingsverandering vandaan kwam: de kluwen van voorgevoelens, bewijzen en speculaties stond op het punt te worden ontward. Een gesprek met de man die zich Ovaal noemde, zou tot oplossingen leiden. Dat had Madhu meteen gevoeld.

Na een lang telefoongesprek met zijn oom Ranga (die speciaal hiervoor vroeg was opgestaan) was Madhu in een diepe slaap gevallen.

Het was bijna halfelf toen hij die ochtend uit bed kwam. Voor zijn slaapkamerdeur vond hij de maandageditie van *De Tijding* met de volgende kop op de voorpagina: *Borduurzaak neemt gruwelijke wending.* Er zat een briefje van Andama op de krant geplakt: *Goedemorgen, Madhu. Tempus Fugax is een feit; zo te zien zijn we op zoek naar een maniak. Extra voorzichtigheid is dus geboden. Het uitgebreide politierapport met verdere details krijg ik pas morgenavond doorgespeeld (ik ben benieuwd of er weer getallen zijn achtergelaten).*

Ontbijt staat voor je klaar. Ik zit tot 15.00 uur in vergadering op de achtentwintigste verdieping. Je mag me bellen als er iets belangrijks is, anders praten we bij in de namiddag. Marrus en vervoer staan tot je beschikking. Je kunt Marrus bereiken door

091 te draaien, of via de receptie (001). Hij zal jou ook nog wel
bellen. Beloof me dat je er niet alleen op uit gaat. Succes, Firi.
Met een andere kleur pen was er nog een PS toegevoegd: *Er*
belde een zekere mevrouw Morsania (iets dergelijks, ik verstond
haar naam niet goed) om te horen wat je plannen voor de dag
waren. Ik heb gezegd dat je sliep. Hoor ook net van receptie dat
de Cambrons je buiten opwachten.

Madhu grinnikte. Mosra-Ni. Laat Mirov nu al zijn verloofde bellen om iets voor elkaar te krijgen?

In de keuken belegde Madhu een broodje met berggeiten-
kaas, waarna hij met de krant naar de bank in de woonkamer
liep: *Politie- en brandweerpersoneel zetten gebied af om het vlot*
en de lugubere lading te bergen ... Nieuwsgierige omstanders
gaven uiting aan angst en afschuw ... Recherche weigert uit-
spraken te doen over mogelijke daders en motieven, maar ...
Opnieuw een stuk stof met geborduurde letters T.F. ... Zoals
Tempus Fugax is verbeeld op museumstuk ... Vooralsnog geen
enkel houvast ... De autoriteiten, noch de betrokkenen ... Hier
werd Madhu niet veel wijzer van.

IX

Als ik bijkom, lig ik op de werktafel en zie ik Astil boven me. *Aan zijn ogen te zien heeft hij gehuild, maar nu kijkt hij vooral verbaasd. We kijken elkaar zeker twintig seconden aan, en uiteindelijk schiet ik in de lach.*

'Kom op, As,' zeg ik. 'Ik leef toch nog?'

'Dat is een wonder.'

'Wat bedoel je?'

'Kijk maar eens naar beneden.'

'Wat? Wat is er?' Ik val stil als ik zie dat ik in een enorme plas bloed lig. Mijn bovenkleding is omhooggetrokken en mijn riem met buideltje hangt over Astils schouder. 'Is al dat bloed van mij?' vraag ik.

'Ja, maar dat is niet erg. Kijk eens naar je zij.' Astil wijst.

Bloed druppelt uit mijn haar als ik mijn hoofd een beetje optil om te kunnen kijken naar wat hij me wil laten zien. In mijn spierwitte huid, vier ribben onder mijn oksel, steekt een lang stuk groen glas. Het is hol, zo te zien de tuit van een destillatievat. Ademloos kijk ik naar de tuit die langzaam uit mijn lichaam wordt gewerkt. Soms schoksgewijs, dan weer in een gelijkmatig tempo. De wond, of althans de opening in mijn huid, blijft zich steeds strak om het glas sluiten en perst zo gestaag het lichaamsvreemde voorwerp naar buiten. En er komt nu nauwelijks meer een druppel bloed aan te pas. Of pijn.

Het duizelt me. Ik voel hoe mijn lijf het laatste eind van de glazen buis naar buiten drukt en op de grond spuwt. Het voelt raar en glad. Volgens mij ga ik weer flauwvallen.

Er wordt aan me geschud. Astils gezicht hangt weer boven me, zijn ogen nog roder dan zojuist. Hij heeft nog steeds tranen in zijn ogen, maar toch schatert hij van het lachen. Hij heeft een grote glasscherf in zijn hand.

'Hé!' Ik sla zijn arm weg en ga snel rechtop zitten. 'Wat doe je?' Het leek wel alsof hij me probeerde te snijden met dat stuk glas.

'Kom hier, jij.' Astil pakt vastberaden mijn rechterarm beet en maakt met de langste punt van de scherf een forse snede aan de binnenkant van mijn onderarm.

'Astil! Nee!' Ik rol van de tafel af op de grond.

Ik zeg 'Au!' maar realiseer me meteen dat ik niets voel. Op mijn arm kan ik met moeite een lichtroze streepje ontdekken dat snel aan het vervagen is. 'De balsem? Werkt het?'

'Dat mag je wel zeggen, ja.' Astil kijkt trots, loopt om de tafel naar me toe en stopt het stuk glas in mijn hand. 'Nu jij. Geef nog maar eens een goede demonstratie.'

'Je bent gek,' zeg ik. Met mijn wijsvinger voel ik waar Astil me net verwondde. De huid is helemaal glad. Ongeschonden. Mijn blik gaat van het stuk glas naar mijn buik en weer naar Astil. Nieuwsgierigheid zet me ertoe aan om nog iets te proberen. Ik haal diep adem en zet de scherf op mijn buik. Heel voorzichtig maak ik een lange, maar niet al te diepe snede in mijn buik, van links naar rechts, net onder mijn navel.

Ik voel geen pijn en zie geen bloed. Het is alsof mijn lichaam de wond onmiddellijk weer laat vollopen met dikke verf in de kleur van mijn huid.

Ik vat opnieuw moed en zeg grijnzend: 'Nu wel blijven kijken, deze is speciaal voor jou.' Astils ontzetting is nog groter dan zijn *bezorgdheid als hij ziet hoe ik een groot hart in mijn buik kerf met de letter A erin. Tegen de tijd dat ik de dwarsstreep van de letter trek, is de eerste boog van het hart alweer bijna verdwenen. 'Een teken van echte liefde,' zeg ik. Mijn hart slaat als een bezetene.*

'Wie van ons tweeën is er nu gek?' roept Astil.

Ik doe de A nog eens over, waarbij ik harder op het glas druk, zodat de snede dieper wordt. Het genezen van de laatste letter duurt wat langer. Maar uiteindelijk wordt alles weer gedicht.

We lachen weer. Ik geloof dat we ook huilen. Astil slaat zijn armen om me heen en begint me op mijn mond, wangen, ogen en voorhoofd te kussen. Langs zijn warme, zachte lippen stroomt adem die ik inslik en voor altijd bij me wil houden.

We duwen elkaar geschrokken weg als we Barhennio op straat afscheid horen nemen van Maurall. Is het al zo laat?

Grote ogen van Astil vragen me wat we moeten doen.

'Hierlangs.' Ik pak de beker met de balsem op en duw Astil haastig de opening van het keldergat in. Met moeite wurmt hij zich door de schacht omhoog; spartelende voeten, gruis en schuurgeluid. Als laatste zie ik zijn hand, die hij nog even door het gat naar beneden steekt om afscheid van me te nemen. Ik aai zijn eeltige vingers en fluister omhoog: 'Tot vannacht! En maak je geen zorgen.' Een bundel licht en zijn gehaaste, wegstervende voetstappen laten me achter.

'Drozier?' Barhennio komt de trap af. 'Waarom ben jij beneden?'

'Meester, ik moet u iets laten zien.' De kelder is een chaos: de omgevallen kast, de besmeurde instrumenten, overal ligt bloed en glas. Maar mijn stem klinkt berustend en vastberaden, wat ik moet zijn.

Dit is het moment waarop alles gaat uitkomen.

23

MAANDAG 15 JANUARI, 11.30 UUR

Om halftwaalf hielden de Cambrons nog altijd de ingang van Andama's flatgebouw in de gaten, en Madhu wist zeker dat het veel moeite zou kosten om hen (en Mirov) te vertellen dat hij die dag echt alleen op pad zou gaan. Daarom had Marrus besloten het Madhu makkelijk te maken en hem met de Tor naar zijn afspraak te brengen.

'Zoals je weet, is het platform aan de achterkant van het gebouw,' zei Marrus terwijl ze door de gangen van de dertigste verdieping liepen, op weg naar de Tor. 'Dus met een beetje geluk zien de broers ons niet eens vertrekken. En als ze toevallig toch net omhoogkijken en ons zien, zijn ze met de auto nooit snel genoeg om ons te volgen. Je kunt helemaal gerust zijn dat wij de enigen zijn die bij jouw geheime afspraak aankomen.'

'Gelukkig,' zei Madhu. Hij aarzelde even. 'Maar degene die ik nu ga ontmoeten, wil ik, wil mij ... moet ik persoonlijk spreken.'

'Geen zorgen. Ik zal me nergens mee bemoeien.'

'Maar ik bedoel helemaal persoonlijk spreken. Alleen.'

Marrus keek opzij naar Madhu. 'Ik kan op een afstandje blijven wachten, meer kan ik niet doen. Ik heb meneer Andama beloofd dat ik je niet uit het oog zou verliezen.'

'Maar er is echt geen gevaar,' zei Madhu, zich meteen realiserend dat dit nogal naïef moest klinken. We zullen wel zien hoe het gaat, dacht hij bij zichzelf.

Een halve minuut was het stil.

'We zien wel hoe het verloopt,' zei Marrus toen, waarop Madhu dankbaar glimlachte.

Het Park Stilter lag in Arrondissement West, een stuk buiten de ommuurde stad. Om het zekere voor het onzekere te nemen en de gebroeders Cambron geen kans te geven hen over de grond te volgen, besloot Marrus eerst een stuk west – over de Noorderdokken –

te gaan, om daarna de brede zeemonding van de Nogar over te steken en pal zuid op het Park Stilter aan te vliegen.

'Je kunt ook andersom zitten,' zei Marrus tegen Madhu, die gedraaid in zijn stoel hing om over de rand achter zich te kunnen kijken. Hij wees naar een knop rechts op Madhu's armleuning. 'Deze moet je ingedrukt houden.'

Zacht zoemend draaide Madhu's stoel honderdtachtig graden, zodat hij vlak aan de rand van het platform kwam te zitten. Mone-Daun gleed als een perfecte plattegrond onder hem door. De neerwaartse wind van de rotors onder de Tor zorgde ervoor dat de meeste stadsgeluiden werden weggeblazen en nog meer dan tijdens de eerste vlucht viel het Madhu op hoe stil het bovenin de Tor was. Onder zich herkende hij het Stadsplein, waar hij eerder met Mirov had gelopen. En daar, heel in de verte zag hij het vliegveld, waar hij alleen uit het vliegtuig was gestapt.

De zon scheen schitterend op de sneeuw.

'Aanhouding gesaboteerd,' riep Lenolo tientallen meters lager. Hij stopte met piepende banden voor een rij auto's. Tatlo was degene geweest die de Tor achter Andama's kantoorgebouw had zien wegzweven. Paslo had toen nog net Madhu in zijn kijker kunnen vangen.

Ze waren erachteraan gegaan, in volle vaart. Maar nu stond de Ridelo Excellence vast op een druk kruispunt.

'Observatie zelfs onmogelijk gemaakt,' zei Tatlo met zijn hoofd uit het raam. 'Overmacht.'

De broers keken machteloos toe hoe de Tor over de daken verdween.

'Wie belt de hoofdcommissaris?' vroeg Paslo.

24

MAANDAG 15 JANUARI, 11.45 UUR

'Mag je dit ding zomaar overal neerzetten?' vroeg Madhu aan Marrus, die de landing inzette boven een veldje in Park Stilter. Sneeuw spoot in woeste spiralen de lucht in. Een groepje geschrokken wandelaars had net een veilige plek achter een boom gevonden toen de glijders van de Tor neerkwamen op het bevroren gras.

'Meneer Andama heeft speciale rechten in de stad,' antwoordde Marrus. 'Hij mag dingen die anderen niet mogen.'

'O,' zei Madhu. Hij vond dat Firi Andama en Dendessi Mirov soms maar weinig van elkaar verschilden.

'Dat daar is de hoofdingang.' Marrus wees naar een grote poort van steen en smeedijzer. 'Ik zie je hier over drie kwartier.'

'Vanaf hier kun je me misschien niet helemaal in de gaten houden.'

'Je tipgever wilde toch anoniem blijven?'

'Ja. Maar ...'

'Ik vertrouw erop dat je gelijk hebt en dat alles veilig is.'

'En als het langer duurt?'

'Als je om kwart voor één niet terug bent, sla ik alarm. Daar kun je op rekenen,' zei Marrus. 'Beloof me dat je niet later terugkomt.'

'Dat beloof ik. Je bent geweldig, bedankt!' Madhu sprong van de Tor en rende weg.

Het was 11.53 uur toen Madhu onder de poort stond. Er kwamen twee jonge ouders uit het park, betoverd door wat er in hun kinderwagen lag. Op de stoep verderop stonden drie oudere dames bij een karretje waar volgens de vlaggetjes erboven soep, koffie, thee en koek werd verkocht.

Twee minuten gingen voorbij tot er getoeter klonk. De koplampen van een aan de overkant geparkeerde witte bus gingen aan en uit. Madhu liep erheen. Hij zag een man achter het stuur zitten die hem wenkte.

De deur zwaaide voor hem open.

'Goed dat je er bent,' zei de man voorin, toen Madhu naast hem zat en de deur had dichtgetrokken. 'Ik ben Olmander.' Terwijl Madhu Olmanders hand schudde, ontdekte hij nog drie mensen op de achterbank. Twee van hen herkende hij: de vrouw in het midden had gisteren opgetreden als Zoet, de assistente van Bitter, en links van haar zat de degenslikker die Madhu naar het toneel had gehaald.

'Ik ben Barhennio,' zei de man die Madhu kende als Ovaal, en hij stak zijn hand uit.

'En ik heet Trismegista,' zei de vrouw. Ze droeg een lange jas met een bontkraag. Haar huid zat strakgespannen over haar uitgesproken jukbeenderen, scherpe kaken en hoge voorhoofd. Ook van dichtbij was ze mooi.

'Bedankt voor uw voorstelling,' zei Madhu tegen hen allebei. 'Het was een hele ervaring.'

Trismegista zag dat Madhu naar de man aan haar andere kant keek; een kleine, gedrongen figuur in een bruin, tweed pak. Hij keek glazig door het raam naar buiten en leek zich niet bewust van wat er in de auto gebeurde.

'En dit is Alminus Uga, over hem vertellen we je zo meer,' zei Trismegista.

Madhu ging zo in zijn stoel zitten dat hij iedereen in de auto kon aankijken. 'Ik dacht gisteren al dat het artiestennamen waren; Ovaal, Zoet, Bitter. Bent u misschien Bitter, de instrumentariumartiest?' Madhu knikte naar Olmander. 'Of de boeienkoning Mangaan? Die hadden allebei een masker op.'

'Nee, ik heb gisteren niet opgetreden,' antwoordde Olmander. 'Madhu,' ging hij verder, 'je moet weten dat maar heel weinig mensen de namen kennen waarmee wij ons zojuist voorstellen. Dat wij ze aan jou vertellen, moet je zien als een voorrecht.'

'Het is een teken van ons geloof in jou,' vulde Barhennio aan. 'Je moet ons zweren dat je aan niemand doorvertelt wat wij je zo meteen gaan uitleggen.'

'Ze zeggen dat ik goed ben in het bewaren van geheimen,' antwoordde Madhu.

'Dat is niet genoeg,' zei Trismegista. 'Je moet het zweren.'

Madhu dacht aan wat zijn oom Ranga altijd tegen hem zei over zweren: beloftes doen is makkelijker dan ze nakomen; zweer nooit, beloof weinig, doe veel.

Barhennio zag Madhu's aarzeling en zei: 'Mirov zal Firi Andama nooit met rust laten; ik vermoed dat Andama het uiteindelijk zelfs met zijn leven zal moeten bekopen als de diamant niet op tijd gevonden wordt. Wij zijn de enigen die je de inlichtingen kunnen geven die je nodig hebt voor het oplossen van Andama's problemen. Maar in ruil daarvoor moet je ook iets voor ons doen. En zweren dat je zwijgt.'

'En waarover moet ik dan precies zwijgen?' zei Madhu.

'Over alles wat met *ons* te maken heeft,' antwoordde Barhennio. 'Over wie wij zijn.'

'Ik ben bang dat het werken aan deze zaak lastiger wordt als ik die belofte doe.'

'Zweer het en je kunt eindelijk echt beginnen met het oplossen van deze zaak,' drong Barhennio aan.

'Goed,' zei Madhu, wetende dat hij het zichzelf nooit zou vergeven als hij niet alles deed om Andama te redden. En zijn nieuwsgierigheid deed letterlijk pijn. 'Ik zweer het. Ik zweer dat ik niemand over u zal vertellen.'

'Dat is dan dat.' Barhennio keek naar Olmander, als om hem formeel getuige te maken. 'De jongen heeft gezworen te zwijgen. Ga je gang.'

'Goed,' zei Olmander. 'Madhu, het zit zo: wij weten zeker dat de borduurder een van de twaalf is.'

'Welke twaalf?'

'Mijn collega's. De leden.'

'Leden? De mensen van het theatergezelschap?'

'Nee. Ja. Dat zijn wel dezelfde mensen, maar die zijn meer dan leden van een theatergezelschap,' zei Olmander. 'We zijn vooral lid van een orde.'

Madhu keek ongelovig rond. 'U hebt het toch niet over …?'

'Ja, daar hebben we het wel over,' zei Barhennio.

'Die van het wandkleed? De Orde der …'

'Van het wandkleed.' Olmander knikte. 'Klopt.'

'De Orde der Bestendigen bestaat echt?'

Barhennio, Olmander en Trismegista krompen ineen. 'Madhu, alsjeblieft,' zei Trismegista. 'Geheimhouding is een van onze belangrijkste grondregels. De naam van de Orde mag nooit worden uitgesproken.'

'O, sorry,' zei Madhu. 'Maar die orde komt uit de zestiende eeuw. Hoe kan zoiets na al die jaren nog bestaan, zonder dat iemand daarvan weet?'

'Simpelweg omdat we niemand van buiten de Orde ooit

over Orde hebben verteld. Of althans, bijna niemand. De enkeling die ooit op de hoogte was van het bestaan van de Orde, maar er niet bij hoorde, leeft nu niet meer,' sprak Trismegista.

'Die hebt u toch niet v…?'

'Vermoord? Wij?' Trismegista schudde haar hoofd. 'O nee. Dat deed de tijd voor ons.'

'Ik begrijp er helemaal niks van,' gaf Madhu toe.

'Wat wij willen zeggen, is dat de Orde al sinds de zestiende eeuw uit dezelfde leden bestaat,' zei Olmander.

'Wat? Wat bedoelt u daarmee?' Madhu kon ergens wel raden waarop Olmander doelde, maar dat sprak hij niet uit. Dat was te vreemd.

'Je weet toch wat het woord "bestendig" in de naam van onze Orde betekent?' vroeg Barhennio. 'Ik maakte ruim vier eeuwen geleden een middel waardoor de leden van toen nu nog steeds leven.'

Madhu fronste zijn wenkbrauwen. 'Wilt u zeggen dat u onsterfelijk bent?'

'Nee. Minder kwetsbaar, maar niet volledig onsterfelijk. We worden wel ouder, maar veel langzamer dan normale mensen.'

Madhu viel even stil. Hij wist niet goed wat hij hiervan moest denken, zat hij hier nu met een gezelschap gekken of echte wereldwonderen in de auto?

'Jij hebt wel meer ongebruikelijke dingen gezien in je leven, toch?' zei Trismegista. Ze trok haar jas uit, waarbij een dot licht geparfumeerde, warme lucht vrijkwam.

'Jawel, maar dit … ' Madhu moest meer weten om dit verhaal voor zichzelf geloofwaardig te maken. 'Wat is dat precies voor middel? Hoe werkt het dan?'

'Het is een balsem, die we in onze ogen moesten smeren. Maar als maker kan Barhennio je meer vertellen over de precieze werking,' zei Trismegista.

'Vroeger had ik geen idee van wat de balsem exact deed; het is een wonder dat ik het met de primitieve instrumenten van toen ooit voor elkaar heb gekregen,' zei Barhennio. 'Maar in de laatste eeuw heb ik ontdekt dat het middel ervoor zorgt dat er overal in het lichaam pakketten van algemene cellen worden opgeslagen. Cellen die zichzelf steeds kunnen inzetten op plaatsen waar het nodig is.'

Olmander schoot in de lach door Madhu's vragende blik. 'Snap je wel wat hij zegt, jongen?'

'Niet zo goed, nee.'

'Degenen die ooit de balsem kregen, maken speciale cellen aan. Basiscellen die steeds bezig zijn met het oplossen van problemen in het lichaam,' probeerde Barhennio opnieuw. 'Ze ontdekken verval en reageren daar meteen op. Ze stoten aangetaste stukken lichaam af en vervangen ze door nieuwe. Zo genezen wonden in een oogwenk, groeien zenuwbanen, zelfs hele armen en benen opnieuw aan, en worden ziektes meteen weggedrukt. De balsem zorgt voor een eindeloos proces van herstel en vernieuwing. En snel ook. Je hebt gisteren met je eigen ogen kunnen zien hoe het in de praktijk werkt.'

'Wat bedoelt u?' vroeg Madhu.

'Ik bedoel onze show.' Barhennio grijnsde. 'Waarom denk je dat ik speciaal jou erbij haalde? Zodat je een leuke avond zou hebben?'

'Die trucs van gisteren waren echt?' Madhu dacht terug aan wat hij de vorige dag op het toneel had gezien. Hij voelde zich draaierig worden nu hij begreep dat dit geen trucage was geweest. 'Die naalden in uw neus en oor?' vroeg hij met piepende stem aan Barhennio, die bevestigend knikte.

'De bijl in uw zij?' Madhu keek Trismegista aan.

Trismegista sloeg haar rechtervuist in haar linkerhand. 'Raak.'

'Die gruwelijke landing van de menselijke kanonskogel? De stroomschokken?'

'Alles onvervalst en door echte mensen,' antwoordde Olmander. 'Daarom is de theatershow van Entitas zo beroemd. Niemand kan onze trucs doorzien, omdat …'

'Het geen trucs zijn,' zei Madhu zacht. 'Fantastisch. Dat u alles geheim heeft weten te houden. Hoe hebt u dat voor elkaar gekregen?'

'Entitas is al bijna twee eeuwen een perfecte dekmantel voor ons. Iedereen verwacht dat een reizende groep illusionisten omgeven is door een sluier van geheimzinnigheid en anonimiteit. Je begrijpt dat we dat bijzonder goed kunnen gebruiken.'

'We doen om de zoveel tijd alsof we nieuwe artiesten in dienst nemen, zodat we steeds een andere identiteit kunnen aannemen,' zei Trismegista. 'Zo valt het niemand op dat er al tweehonderd jaar lang dezelfde mensen optreden. En we verhuizen om de paar jaar.'

'Je moet inventief zijn om niet op te vallen als je levensverwachting ongeveer vijfendertig keer langer is dan normaal,' zei Barhennio.

'Voor jou vijfendertig keer, ja,' zei Trismegista. Madhu dacht een toon van verwijt in haar stem te horen. 'De rest was er niet zo snel bij als jij.'

'Hoezo "snel"?' vroeg Madhu.

'De balsem die Barhennio maakte, was …'

'Wat doet dat ertoe?' onderbrak Barhennio Trismegista. 'We hoeven hem toch niet alles te vertellen? Laten we gewoon bij de zaak blijven.'

'Ik *blijf* bij de zaak, Barhennio. De factorkwestie is toch hoogstwaarschijnlijk gekoppeld aan het motief van degene die ons de brief stuurde? Degene die alle onrust veroorzaakt?' Trismegista zocht de ogen van Olmander voor steun.

'Trismegista heeft gelijk, Barhennio,' zei Olmander. 'We moeten Madhu daar wel een en ander over uitleggen.'

'Goed goed, toe dan maar.' Barhennio leunde achterover in zijn stoel.

'Dank je,' zei Trismegista, maar ze klonk niet dankbaar. 'Het is dus gebleken dat de balsem aan kracht inboette naarmate hij ouder werd. Een instabiel bestanddeel zorgde ervoor dat het middel steeds minder goed ging werken. Als gevolg hiervan zijn de ordeleden niet in dezelfde mate bestendig. Wij noemen dat de factor, de factor van bestendigheid.'

'Dus hoe eerder je het nam, hoe beter de werking?' merkte Madhu op.

'Precies,' zei Trismegista. 'Barhennio bijvoorbeeld nam de balsem meteen op de eerste dag van productie. Hij kreeg daarom ongeveer factor vijfendertig. Hij werd de afgelopen eeuwen maar zo'n twaalfenhalf jaar ouder.'

'Twaalf komma zevenendertig om precies te zijn,' zei Barhennio.

'Je hoort het. Olmander, Maurall, Karmonte, Cogluas en ik waren er ook nog betrekkelijk vlug bij; wij kregen de balsem twee dagen na Barhennio.'

'Welke factor kregen jullie dan?' vroeg Madhu.

'Ongeveer zevenentwintig. Wij vijven zijn sinds de zestiende eeuw zo'n zestien jaar ouder geworden. En we kunnen ook heel wat schade verwerken.'

'Maar toch is dat is al een behoorlijk verschil. In twee dagen acht stappen naar beneden,' zei Madhu.

'Vergeleken met een aantal anderen valt dat nog wel mee,' zei Olmander. 'Alminus Uga hier op de achterbank was ruim een maand later en kreeg maar factor achttien. Hij was ooit jonger dan wij maar heeft ons inmiddels ruimschoots ingehaald. Zijn herstelvermogen is op bepaalde vlakken heel wat slechter dan het onze. De belangrijkste lichamelijke functies zijn bij hem blijven draaien, maar zijn brein is op.'

Madhu keek nog eens naar Alminus Uga, die nu zijn kin op zijn borst had hangen en aan de manchet van zijn voortdurend schuddende linkerarm peuterde.

'Hij kan niet praten, hij kan niets meer onthouden, geen pijn voelen en hij heeft last van bijwerkingen. Hij is een pop, een opwindpop waarvan het mechaniek maar niet kapot wil gaan.' Trismegista aaide over Alminus Uga's achterhoofd.

'Maar waarom geven jullie hem niet nog wat balsem? Die wel goed is?'

'Omdat die op is,' zei Barhennio.

'Op? Dan maak je toch nieuwe?'

Het werd stil in de bus. Alleen Alminus Uga kreunde wat onverstaanbaars.

'U kunt toch nieuwe balsem maken?' vroeg Madhu nu uitdrukkelijk aan Barhennio.

'Dat zou kunnen, maar dat doe ik niet,' zei hij.

'Waarom niet?'

'Omdat dat tegen de code van de Orde in zou gaan.' Barhennio keek Olmander en Trismegista aan alsof hij commentaar van hen verwachtte dat hij niet wilde horen. 'In een regel van de statuten, grondregel vier om precies te zijn, staat geschreven dat de Orde zonder bemoeienis moet blijven zoals zij is gesticht. Dat betekent geen ingrijpen, verandering of uitbreiding. En dus geen nieuwe balsem.'

'Je raakt meteen de zere plek, Madhu,' zei Olmander. 'Barhennio's besluit om nooit meer balsem te maken heeft al vaak tot hevige discussies geleid. Een meerderheid van de ordeleden interpreteert die vierde regel anders en pleit voor nieuwe balsem. Voor onszelf, voor onze geliefden en kwetsbare leden als Alminus Uga hier. Of voor nieuwe leden.'

'Maar als leider van de Orde heeft Barhennio een beslissende stem. Hij heeft altijd geweigerd de balsem opnieuw te maken,' zei Trismegista. 'Velen nemen dit Barhennio kwalijk. En daar hoor ik ook bij.'

Barhennio zuchtte en keek alsof hij wenste dat het laatste woord hierover al eeuwen geleden was gezegd. 'Ik ben stipt en trouw aan de regels. En inderdaad, ik ben de leider van de Orde. Meer niet.'

'Weet je wat jij ook bent?' zei Trismegista. 'Het sterkste ordelid. En het enige ordelid dat nog nooit een onbestendige heeft ontmoet die hij langer dan een normaal mensenleven bij zich wilde houden.'

'Trismegista, alsjeblieft. Ik heb altijd iedereen zijn of haar liefdes buiten de Orde gegund, maar ik vind niet dat dit soort dingen ten koste mogen gaan van de regels.'

'Dingen? Barhennio, je hebt het hier niet over dingen. Je hebt het over sympathisanten, over de gezondheid van de leden uit je eigen Orde. Over kinderen en grote liefdes. Met de tranen die in de loop der eeuwen uit de ogen van ordeleden zijn gelopen, zouden we de Nogar voorgoed buiten haar oevers kunnen laten treden. En jij praat over dingen en regels?' Trismegista richtte zich tot Madhu. 'Kijk, Madhu, velen van ons denken dus dat dit de aanleiding is voor alle ellende, de reden waarom iemand zich tegen de Orde heeft gekeerd. Er is iemand die vindt dat er genoeg is geleden.'

'Ik weet niet zeker of ik u begrijp,' zei Madhu.

'We weiden nu ook te veel uit,' zei Olmander met een kalmerend gebaar naar Trismegista. 'Maar het komt erop neer dat wij vermoeden dat de persoon waar jij achteraan zit – de borduurder, de dief van Firi Andama's diamant, degene die Darloys wandkleed naspeelt – een bestendige is. Iemand van ons dus. Een ordelid dat op een afwijkende manier de kwestie van het opnieuw maken van de balsem wil bespreken.'

'Maar hoe komt u daarbij?'

'De eerste december kregen wij deze brief.' Olmander haalde een papier uit zijn binnenzak en overhandigde hem aan Madhu.

Na zoveel jaren is het tijd. De Orde der Bestendigen – en vooral haar leider – moet zich verantwoorden. Madhu draaide het papiertje om en zag dat het verder leeg was.

'Dit zat er ook bij.' Olmander drukte Madhu een zwart lapje stof in zijn handen. Er was met glanzend zwarte draad op geborduurd: *Van 29 december tot de omwenteling.*

'Het handwerkje is gemaakt door dezelfde persoon die Mone-Daun in de ban houdt. We hebben uitgebreid foto's in bladen en kranten bestudeerd; het is hetzelfde lettertype, dezelfde soort steken. Het is zonder twijfel van degene die bekendstaat als de borduurder.'

167

'Het kan geen toeval zijn dat hierop al de datum van zijn eerste misdaad staat aangekondigd,' zei Madhu. '29 december was de dag dat de twee baby's werden ontvoerd. Insectatio Innocentiae, het eerste tafereel van het wandkleed. Dat kan alleen de dader zelf van tevoren hebben geweten.'

'Precies. Op welke dag het laatste tafereel van Darloys belachelijke wandkleed ten tonele gevoerd zal worden, wil de dader blijkbaar nog geheimhouden.'

'Wat denkt u dat de omwenteling precies zal zijn?'

'Heb jij een vermoeden?'

'Nee, niet echt,' zei Madhu.

'Niet echt? Heb je helemaal geen aanwijzingen die wij niet kennen?' vroeg Barhennio teleurgesteld.

'Nu nog even niet.' Madhu besloot op dat moment te wachten met het noemen van de cijfers die de borduurder steeds achterliet. 'Maar waarom verdenkt u alleen leden van uw Orde? Dit briefje en het borduursel zouden toch ook van een buitenstaander afkomstig kunnen zijn?'

'Zoals Trismegista net al zei: alleen bestendigen weten van de Orde en daarom kan deze brief alleen van een lid afkomstig zijn,' zei Barhennio.

'Bent u er echt zó zeker van dat helemaal niemand anders van het bestaan van de Orde afweet?' vroeg Madhu.

'Als ons bestaan ooit was uitgelekt, hadden we dat wel gemerkt,' antwoordde Olmander. 'Als een onbestendige – zo noemen we iemand van buiten de Orde – ook maar enige aanleiding had gehad om te denken dat er mensen bestonden die bijna onkwetsbaar waren, dan zou dat verhaal meteen over de hele wereld zijn gegaan. Een dergelijk gerucht zou wereldnieuws zijn geweest en ons zeker weer bereikt hebben.'

'De brief was geadresseerd aan de directie van theatergroep Entitas,' zei Trismegista. 'Het is al bijna onmogelijk dat een buitenstaander van de Orde weet, laat staan dat iemand ook nog eens onze dekmantel Entitas kent. De borduurder *moet* wel een van ons zijn.'

'Het zou wel verklaren waarom de overvaller van meneer Andama's wagen bestand was tegen kogels,' merkte Madhu op. 'Narter Dalkin, de chauffeur, was ervan overtuigd dat hij de overvaller twee keer had geraakt, zonder dat er iets gebeurde.'

'En wat dacht je van de aanrijding bij de overval?' zei Trismegista. 'Een normaal mens zou zoiets toch nooit overleven? Die andere zaken zouden misschien in opdracht gedaan kunnen zijn, maar dat tweede misdrijf is overduidelijk gepleegd door een bestendige.'

'Zeker. Denk ook eens aan de tanden,' zei Olmander.

'Tanden?' vroeg Madhu. 'Volgens de signalementen zou de dader van de overval toch geen tanden hebben?'

'Exact. Een van de weinige dingen waarop de balsem geen invloed heeft, is het herstel van onze gebitten. Geen van ons heeft nog een echte tand in zijn mond. Daarom is Lamantius, een van onze leden, tandheelkundige geworden. Hij onderhoudt al onze kunstgebitten.'

'Aha.' Madhu begon de theorie steeds aannemelijker te vinden. Maar ze waren er nog niet. 'En waarom zou de borduurder tijdens de overval zijn tanden hebben uitgedaan, denken jullie?'

'Bang dat ze konden sneuvelen, denken wij. Want dat zou ons opvallen. Door deze tandenkwestie kunnen we trouwens wel een aantal leden van de lijst schrappen: twee van ons hebben sinds een paar jaar kaakimplantaten die niet uit kunnen.'

'Alleen ordeleden met een los kunstgebit zijn dus verdacht,' zei Madhu. 'Dan blijven er nog maar tien verdachten over.'

'Wij hebben een lijst gemaakt van acht verdachten.' Olmander telde op zijn vingers: 'Trismegista, Bauzu, Karmonte, Niboeck, Maurall, Civitato, Cogluas en ik. Je ziet hoe het met Alminus staat; die valt erbuiten. En omdat Barhennio het belangrijkste doelwit is, lijkt het ons erg onwaarschijnlijk dat hij hier iets mee te maken heeft.'

'Ik wil niet eigenwijs zijn, maar volgens die laatste gedachtegang zou helemaal niemand van u verdacht zijn,' zei Madhu. 'De hele Orde wordt in dat briefje als doelwit aangewezen.'

'Precies wat ik ook aldoor zeg,' zei Barhennio. 'Ik hoor net zo goed op die lijst. Er zijn negen verdachten.'

'Goed, negen dan,' zei Olmander tegen Barhennio. 'Maar vanwege het vermoedelijke motief van de borduurder – de interpretatie van regel vier, de onvrede over jouw eeuwenlange weigering nieuwe balsem te maken – neem ik je toch niet serieus als dader.'

'Maar het is helemaal niet zeker dat de balsem het motief is,' zei Madhu. Hij zag niet in wat het naspelen van de afbeeldingen op het wandkleed zou bijdragen aan het onder druk zetten van Barhennio. De gebeurtenissen van de afgelopen tijd zouden leiden tot de val van de Orde, en dat zou Barhennio eerder niet dan wel aanzetten tot het maken van nieuwe balsem, zo redeneerde Madhu. 'Even iets anders: u noemde Trismegista ook in uw lijst, maar de overval op de wagen werd gedaan door een man.'

'Misschien zijn er wel meer ordeleden die samenspannen.' zei Olmander. 'Wie zegt dat hij alleen opereert?'

'Dat zeg ik,' zei Madhu. 'Er is er echt maar een. En dat is een man.'

'Gelukkig.' Trismegista maakte een juichgebaar. 'Ik ga vrijuit.'

'Daar ben ik helemaal zeker van: vrouwen vallen af,' zei Madhu vastberaden. 'Wie blijven er dan over?'

'In dat geval,' zei Olmander, die snel de juiste inschatting maakte dat Madhu wist waarover hij sprak, 'blijven Bauzu, Niboeck, Maurall, Civitato, Cogluas en ik over. En Barhennio.'

'Dat begint ergens op te lijken.' Madhu keek op het horloge om Barhennio's behaarde, brede pols. Het was negen over halfeen. 'Ik moet zo weg.'

'Nu al?' zei Barhennio.

'Ik word over vijf minuten opgehaald. En als ik er dan niet ben, worden er mensen heel ongerust.'

'Ik was vergeten dat jullie onbestendigen altijd haast hebben. Minder tijd, meer haast.'

'Maar we kunnen binnenkort opnieuw afspreken,' zei Madhu.

'Dus je gaat ons helpen?'

'Ik hoop dat we elkaar gaan helpen. Maar ik vraag me wel af waarom de Orde heeft besloten om nu wel een buitenstaander in vertrouwen te nemen?'

'Omdat de zaak ons boven het hoofd aan het groeien is. Toen we de brief kregen, had niemand van ons gedacht dat de zaak zoveel opschudding zou veroorzaken. Hoewel het openbare karakter van de eerste actie ons wel verraste – wij hadden meer rekening gehouden met op ons persoonlijk gerichte acties – had die babyontvoering nog maar weinig publiciteit tot gevolg. Maar de overval op Andama's wagen kreeg opeens zo veel aandacht. En kijk nu eens; de borduurder is dagelijks voorpaginanieuws. De politie zoekt met man en macht, iedereen praat erover. Als verborgen organisatie worden wij erg zenuwachtig van dat gegraaf in ons verleden en onze omgeving. Er moet snel iets gebeuren voordat we ontdekt worden. En daarom vonden we dat we nu hulp van buitenaf moesten inschakelen,' antwoordde Olmander.

Barhennio bromde.

'Goed, goed, niet iedereen vond dat; maar de *meesten* wel,' zei Olmander.

'En dat overgrote deel van de ordeleden stemde er ook voor om *jou* te vragen,' zei Trismegista. 'Niet alleen om je befaamde aanleg, maar ook vanwege je discretie.'

'De politie heeft toch ook geheimhoudingsplicht,' zei Madhu. Hij had deze woorden net uitgesproken toen hij dacht aan de vertrouwelijke rapporten die Andama steeds van de politie doorgespeeld kreeg.

'De politie?' Trismegista schudde haar hoofd. 'Laat ik het netjes houden door te zeggen dat het politiekorps van Mone-Daun te groot is om geheimen te kunnen bewaren. Jij bent een eenling, een buitenstaander, iemand die ons meteen betrouwbaar leek; met onze levenservaring kunnen wij aardig inschatten wie betrouwbaar is en wie niet. En Ovaal heeft je gisteren natuurlijk officieel getest en goedgekeurd.'

'Getest?' Madhu keek naar Barhennio voor uitleg.

'Op het podium, terwijl je de naalden bij me naar binnen sloeg,' zei Barhennio. 'Ik ben er ooit achter gekomen dat er dingen zichtbaar worden bij mensen die ik op het toneel haal. Je kunt van alles aflezen aan publiek onder die spanning: het oorspronkelijke innerlijk, de ware eigenschappen worden blootgelegd. Bij jou heb ik met zekerheid kunnen vaststellen dat je loyaal en eerlijk bent. Onder andere.'

'Onder andere? Heb je nog meer gezien dan?' vroeg Madhu.

'Ja,' zei Barhennio met een gezicht dat niets losliet.

'Het is kwart voor een, Madhu. Je moet nu echt weg,' onderbrak Olmander. 'Wanneer kunnen we elkaar weer ontmoeten? Hoe wil je het aanpakken?'

'Geef me een dag om alles te laten bezinken,' zei Madhu, nog erg nieuwsgierig naar wat Barhennio verder bij hem had ontdekt. 'Kunnen we morgenavond bij u afspreken? Ik zou graag de andere leden eens willen ontmoeten en wat informatie uitwisselen.'

De drie ordeleden keken elkaar aan.

Aarzelend.

Bij hen? Andere leden? Informatie uitwisselen? Het was letterlijk eeuwen geleden dat ze overwogen een onbestendige binnen hun linies toe te laten.

'Het magazijn?' doorbrak Trismegista de stilte. 'Het ordehuis?'

Barhennio en Olmander knikten.

'Wij komen je wel ophalen, Madhu. Om halfzeven. Hier, op deze plek,' zei Barhennio.

Olmander reikte langs Madhu en maakte de deur voor hem open. 'Tot morgen. En denk aan je belofte.'

'Ja,' zei Madhu. 'Tot morgen.' Hij stapte uit, zette zijn capuchon op en stak de straat over. Voor hij het park in rende, stak hij zijn hand nog even op naar de bestendigen in de witte bus, en hij realiseerde zich op dat moment des te meer hoe ongelofelijk bijzonder ze waren.

'Zo, dat was dat,' zei Trismegista, toen Madhu uit het oog was verdwenen. 'Ik heb er vertrouwen in.'

Olmander knikte en startte de auto.

Barhennio zweeg.

X

Ik heb mijn meester direct op een stoel gezet en hem de kracht *van de balsem laten zien. In vijf seconden was hij zijn boosheid over de chaos in zijn werkplaats vergeten. En nog vijf seconden later gleed hij voor de eerste keer van zijn stoel, flauwgevallen door mijn gruwelijke optreden. Ik ben zo vals geweest hem vier keer achter elkaar met een emmer koud water bij te brengen en meteen weer te confronteren met een verse gapende wond. Elke keer viel hij opnieuw flauw; ik had deze grap wel twintig keer kunnen herhalen.*

Nu schudt Barhennio onophoudelijk zijn hoofd, zijn gezicht nog steeds spierwit weggetrokken. Ik zie hoe hij losse flarden herinneringen aan elkaar probeert te knopen, gebeurtenissen en vermoedens opnieuw bovenhaalt en eindelijk een plaats geeft. Zijn gezicht is afwisselend boos, dan weer nadenkend, maar aldoor vol ongeloof. Hij grinnikt om mijn stiekeme prestatie en lacht zoetzuur om hoe hij zich heeft laten misleiden. Steeds gaat zijn blik naar de beker die voor ons op tafel staat. Het tinnen voetje is vastgeplakt in mijn gestolde bloed.

'Het is je gelukt, Drozier. Het is je gelukt.' In zijn stem klinkt zowel ontzag als wantrouwen. Tweeslachtigheid, onverenigbare gevoelens.

'Zonder uw grondslagen was er niets geweest om op te bouwen, meester. Ik heb afgemaakt wat u bent begonnen.'

Barhennio knikt, tevreden over mijn nederige antwoord. 'En helemaal niemand weet hiervan? Heb je dit helemaal in je eentje gedaan?'

'Als je uw onmisbare basisformule wegdenkt, ja, dan helemaal alleen,' spreek ik de waarheid. 'Niemand weet hiervan,' lieg ik vervolgens. Astil wil ik hier koste wat het kost buiten laten.

'Ook hij niet?' Hij wijst over zijn schouder naar de straatkant van het huis.

'Nee, ook hij niet.' Ik trek een gezicht alsof ik deze laatste vraag nauwelijks serieus kan nemen, alsof het een belachelijk idee is dat Astil hier iets van zou weten.

'Ik zou het best begrijpen, als je het met iemand besproken zou hebben. Hij zou de aangewezen persoon zijn. Het is een vriend van je,' vist Barhennio verder.

'Bepaalde zaken moeten geheim blijven, meester. En deze zeker.'

'Hm. Maar je vindt hem toch wel heel aardig?'

Barhennio heeft nog een laatste duwtje nodig om gerustgesteld te worden, en dat geef ik hem graag: 'Natuurlijk is Astil aardig, maar hij is ook een simpele ambachtsman. Hij kan nauwelijks lezen en schrijven. Wat zou ik hem hierover' – ik gebaar naar de beker voor ons – 'kunnen vertellen? Hij zou er helemaal niets van begrijpen.'

Mijn meesters volgende hm klinkt veel beter en het lijkt alsof hij me begint te geloven.

25

Er verschenen strepen ochtendgrijs in de lucht en het begon Madhu op te vallen dat het vliegverkeer toenam. Hij bestudeerde de paadjes door zijn kamer, de routes waar zijn blote voeten de haren van het zandkleurige vloerkleed naar beneden hadden gedrukt. De vloer was gisteren in de namiddag nog door de schoonmaker gestofzuigd, dus Madhu kon zijn recente gangen gemakkelijk nagaan. Een paar keer op en neer van de badkamer naar de leunstoel waarover hij zijn kleren en tulband had gelegd. Zeker vijf keer was hij aan de rechterkant van zijn bed uitgestapt om voor de glazen muur te gaan staan die uitzicht gaf op het zuiden; de oude stad, de velden waar Andama's wagen was overvallen, de bossen daarachter. En een keer heen en terug naar de deur toen hij druiven in de keuken was gaan halen.

Vlak na zijn terugkeer uit de keuken moest Madhu denken aan een uitspraak die Barhennio de vorige middag gedaan had: 'Ik was vergeten dat jullie onbestendigen altijd haast hebben. Minder tijd, meer haast,' had hij gezegd. Die woorden bevestigden uiteindelijk voor Madhu wat de drie ordeleden hem de vorige dag hadden gezegd: de borduurder kon niemand anders dan een bestendige zijn. Want wie kiest er voor zo'n omslachtige aanpak, wie is bereid zoveel tijd te investeren in het nauwgezet nabootsen van taferelen van een wandkleed?

Antwoord: iemand die alle tijd heeft.

Conclusie: de dader heeft alle tijd. En wat voor soort dader heeft absoluut geen haast?

Precies.

Een bestendige, iemand die tientallen keren langer te leven heeft dan gewone mensen is de enige persoon die de tijd zal nemen voor de uitvoering van een nodeloos ingewikkeld meesterplan. Langzaam maar zeker je doel bereiken is voor zo iemand juist passend, dacht Madhu. Een bestendige heeft niets met efficiëntie en doelmatigheid zoals gewone stervelingen.

Voor Madhu was dit het moment waarop hij zich realiseerde naar wat voor iemand hij op zoek was. Degene die de diamant en daarmee de veiligheid van Andama in handen had, werd gedreven door motieven waar een normaal mens niets van begreep. Madhu vond het angstaanjagend om zich te verplaatsen in iemand die nauwelijks ouder werd. Hoe moest hij zich voorbereiden op een strijd tegen een bijna onkwetsbaar persoon? Hoe moest hij het opnemen tegen iemand met zo'n afwijkende kijk op tijd, op het leven?

Op pijn?

En op de dood?

'Je laat je een loer draaien. Door een jochie van tien.'

'Hij is twaalf, poppetje. In maart wordt hij dertien.'

'Twaalf, ook goed. Dat verandert niks aan wat ik wil zeggen.'

Dendessi Mirov glimlachte en gaf zijn verloofde een kus.

'Wat is er? Waarom krijg ik nu een kus?' vroeg Mosra-Ni.

'Zomaar.' Mirov liep naar de lange spiegel in de inloopkast om zichzelf te bekijken.

Mosra-Ni zuchtte en liep achter hem aan. 'Dendessi, ik maak me zorgen. Ik denk dat die jongen er niet in zal slagen om mijn steen op tijd terug te vinden.'

'Vind je dit geen prachtig vest? Ik overweeg om ook de blauwe te nemen.'

'Ik heb geen zin om voor schut te staan op onze trouwdag.'

'Nee, natuurlijk niet.'

'Je luistert niet.'

'Ik luister wel.'

'Wat zit daar?' vroeg Mosra-Ni aan haar aanstaande man die langs haar de kast uit wilde lopen.

'Wat is er?' Mirov zag dat haar scherpe blik was gericht op zijn gezicht, mogelijk op zijn neus.

'Kom eens,' zei Mosra-Ni.

Ze kwam met haar ogen vlak voor die van Mirov en ging tergend langzaam met haar duim en wijsvinger richting zijn neus. Haar lange nagels tikte ze een paar keer tegen elkaar aan.

Mirov, die inmiddels wist wat er ging komen, nam zich voor om geen geluid te maken.

Maar daar slaagde hij niet in.

De venijnige pijn van het uittrekken van een uitstekende neushaar ontlokte bij hem een kreet, die ook nog eens hoger klonk dan hij mannelijk vond.

Mosra-Ni glimlachte en ze wist dat ze Mirovs onvoorwaardelijke aandacht had gewonnen. 'Lieverd, ik heb nog eens nagedacht: wij hebben de halve wereld uitgenodigd voor ons huwelijk en in de uitnodiging staat vermeld dat we een fantastische ringceremonie gepland hebben.'

'Dat weet ik toch.'

'Verzeker me dan nog een keer dat jij mij op de dertigste januari, in het bijzijn van al die mensen Het Ochtendgloren van de Liefde om mijn vinger zal schuiven.'

'Sinds wanneer hecht jij zoveel waarde aan materiële zaken?'

'Nee, Dendessi. Je begrijpt me niet goed – die steen zelf vind ik niet eens zo belangrijk. Wat ik van je wil, is een bewijs dat ik belangrijk voor je ben. En dat bewijs kun je me leveren door die steen voor me terug te vinden. Ik wil dat je eens echt je best voor me doet.'

'Lieverd, ik ben van plan om vanmiddag een afspraak te maken met Madhu en…'

'Het maakt me niet uit.' Mosra-Ni legde haar hand op Mirovs mond. 'Of het nu door dat knulletje is, of Tatlo, Lenolo en Paslo, of door die wezel van een Firi Andama persoonlijk voor mijn part. Die steen moet worden teruggevonden. Anders weet ik niet of ik het wel door wil laten gaan.'

'Wat niet?' Mirov voelde een sombere onrust in zijn borst-kas ontkiemen.

'Ons huwelijk. En dat meen ik. Voor mij is het een principezaak geworden,' sprak Mosra-Ni resoluut.

27

DINSDAG 16 JANUARI, 13.29 UUR

De voorzijde van Mirovs hotel met casino was adembenemend en volmaakt afwijkend van de façades van de klassieke gebouwen die verder op de Boulevard Premier stonden. Helemaal boven op de ruim vijftig meter hoge gevel prijkte de naam *La Kela Flush* in langgerekte letters die waren voorzien van een dikke laag platina, waardoor kenners ze schatten op een waarde van een half miljoen per stuk. Na zonsondergang werden de letters belicht door schijnwerpers met speciaal ontworpen lampen in champagnekleur.

Vanaf het dak stortten twee sierlijke watervallen langs het gebouw naar beneden om op straathoogte in bassins aan weerszijden van de ingang terecht te komen. De entree was omzoomd door een gigantisch, uit lichtblauw glas opgetrokken beeldhouwwerk waarin drieënnegentig wilde dieren levensgroot waren afgebeeld. Dit kunstwerk werd ooit gemaakt door Eda Karans, een wereldberoemde kunstenares die kampte met een onbeheersbare liefde voor gokken. De oude Mirov (Dendessi Mirovs vader was de stichter van La Kela Flush) zag Karans' zwakte destijds als een buitenkans – hij kreeg het voor elkaar met de kunstenares af te spreken dat hij haar voor haar werk met fiches van zijn eigen casino mocht betalen.

Madhu was die dinsdag door Mirov uitgenodigd voor een lunch in La Kela Flush. 'Regel maar dat Marrus jou om halftwee bij het casino afzet,' had Mirov aan de telefoon tegen Madhu gezegd. 'We moeten elkaar nodig spreken.'

Madhu had toegezegd; hij zag wel in dat hij Mirov een en ander had uit te leggen. Maar ook wilde hij van de gelegenheid gebruik maken Mirov aan zijn verstand te brengen dat hij de zaak niet hielp door onophoudelijk druk uit te oefenen met telefoontjes en achtervolgingen.

'Dag meneer Mahavir,' zei de prachtige gastvrouw die Madhu iets voor halftwee opving onder de drieënnegentig glazen dieren. Ze had een speldje op haar jurk: *Dilia*. 'Meneer Mirov staat op u te wachten. Loopt u mee?'

Madhu liep achter Dilia aan door een tunnel van zwart marmer. Neonbuizen kronkelden in allerlei kleuren over het plafond. In de wand zaten winkeltjes waar een groot aanbod aan zonnebrillen, smokingjasjes, tassen, dassen, juwelen en andere dure dingen te koop waren.

Van achterin de gang klonken stemmen en muziek.

De eerste aanblik van de hoofdzaal van La Kela Flush overdonderde Madhu zo, dat hij nauwelijks iets kon uitbrengen toen Dendessi Mirov voor hem stond. Hij was een open ruimte binnen geleid waarin afgezien van de buitenmuren geen vaste wanden of vloeren zaten. In plaats daarvan waren overal verticaal en horizontaal kabels gespannen die vloerplaten in de lucht hielden. En op al deze hangende plateaus bevond zich een overweldigende stortvloed van attracties. Op één plateau zag Madhu een rad van fortuin, op een ander plateau stonden mensen te dringen voor rijen blinkende, rinkelende gokautomaten. Rechts daarvan speelde een dertigkoppig orkest en iets hoger zaten mensen aan keurig gedekte tafels te eten, bediend door obers in het zwart. Er werd wild gedobbeld en gekaart, maar ook rustig koffie met taart genuttigd. Alles hing en ging door elkaar, zwevende eilandjes van vertier, verbonden door een stelsel van roltrappen, liftjes en bruggen. Madhu kon niets anders dan met open mond omhoog staren.

'Kom op, we nemen de Flush.' Mirov trok Madhu aan zijn arm mee.

Even verderop beklommen ze een soort perronnetje.

'Is dit soms van de achtbaan?' vroeg Madhu wijzend op de glanzende metalen buis die voor hen langs liep en tussen de plateaus in de hoogte verdween.

'Ja, de Flush,' zei Mirov. 'Daar is hij al.'

Vanachter het laagste plateau, waarop zich een bar bevond met een gigantisch aquarium in het midden, kwam een rijtje karretjes aangereden. Ratelend stopten ze voor Madhu en Mirov. Twee vrouwen in glinsterende jurken stapten giechelend uit. Een man en vrouw bleven helemaal achterin zitten, elk met een glas champagne in hun hand.

'Hou je vast,' zei Mirov, toen ze voorin het treintje waren gaan zitten en met een schok in beweging kwamen. Slingerend begonnen ze te klimmen. De vrouw achterin gilde van plezier bij elke scherpe bocht die de karretjes maakten. Na ongeveer twintig seconden stopte de Flush bij het Rad van Fortuin, om daarna weer snel verder te gaan. Omhoog, van het ene grote plateau naar het andere. Flarden sensatie wapperden voorbij.

'Bij de volgende gaan we eruit,' riep Mirov toen ze een paar minuten later zeker veertig meter boven de grond waren.

Ze gleden weer een perronnetje binnen. Op het koperen bordje langs de rails stond *Halte 19: Roulette.* Mirov stapte haastig uit en liep al verder.

'Meneer Mirov, doet u nu even rustig aan,' riep Madhu terwijl hij uit het karretje klauterde. 'Ik dacht dat we wat gingen eten?'

'Klopt. Dat doen we een niveau hoger, twee trapjes verder. Maar ik wil eerst even een spelletje doen.'

'Toch geen roulette?'

'Ja. Ik wil weten of jij goed bent in gokken.'

'Dat kan toch niemand goed. Het is een kansspel.' Het woord gokken bracht bij Madhu geen goede herinneringen boven.

Hoewel hij nog maar zes jaar was toen het gebeurde, kon hij zich nog altijd de onrust voor de geest halen die hij had gevoeld toen zijn ouders hevige ruzie hadden gekregen om de gokschulden van neef Inni. Deze tegendraadse zoon van de zus van Madhu's moeder had in de loop van een paar weken enorme bedragen verloren bij een kaartspel. Inni werd door zijn schuldeisers bedreigd en zijn naaste familie was te arm om hem te helpen. Uiteindelijk had Madhu's moeder stiekem haar gouden armbanden verkocht om de gokschuld van haar neef af te lossen. Toen Madhu's vader dat ontdekte, was hij zo boos geweest dat hij had gedreigd met weglopen. Er was geschreeuwd, gescholden en gehuild. Gebeurtenissen die Madhu toen zulke buikpijn hadden gegeven dat hij een dag niet naar school had gekund.

'Met jouw gave is het misschien wel helemaal geen kansspel,' zei Mirov.

'Ik weet zeker dat mijn moeder het niet leuk zou hebben gevonden als ik het daarvoor ging gebruiken.'

'Probeer het eens, Madhu. Anders blijf ik daar mijn hele leven nieuwsgierig naar.'

'Ik weet het niet. Het is niks voor mij. En ik *wil* ook niet dat het iets voor mij is.'

'Gewoon voor de lol, met fiches van het huis. Even wat verstrooiing voordat we het onderzoek verder bespreken,' drong Mirov aan. 'Dat kan toch geen kwaad?'

'Goed,' zei Madhu. Hij wilde hier ook niet al te moeilijk over doen. Het was op deze manier, in Mirovs eigen casino, een onschuldig tijdverdrijf. 'Even dan.'

'We doen maximaal drie draaien.'

Geen zorgen, mam, zei Madhu in zichzelf. Ik doe dit alleen uit beleefdheid. En ik kan zo geen schulden maken. Hij liep met Mirov mee naar de speeltafel die tegen de langste kant van het plateau stond opgesteld.

'Meneer Mirov, wat een eer,' zei de croupier, een stevige man met een paars-zwart gestreept jasje. Madhu dacht een nerveus trekje rond de croupiers lange bovenlip te zien verschijnen toen hij Mirov aan de tafel zag staan.

'Geen zorgen, Neddie,' zei Mirov, die blijkbaar ook de onrust van de croupier zag. 'Ik speel zelf niet. Mijn jonge gast wil graag eens zijn geluk beproeven.' Mirov reikte over de tafel en stopte iets in Neddie's borstzak. 'Geef maar wat fiches. Twintig van vijftig lijkt mij prima.'

'Natuurlijk, meneer Mirov.' Neddie zette onmiddellijk een stapeltje oranje fiches voor hen neer.

'Uw inzet alstublieft,' riep Neddie van achter de tafel.

'Goed.' Mirov wreef in zijn handen. 'Daar gaan we. Ken je het spel?'

'Ja,' antwoordde Madhu. 'Je moet toch raden op welk nummer het balletje terechtkomt?'

'Klopt. Voor de grote winst moet je op getallen inzetten;

een enkel getal betaalt zesendertig keer uit. Je mag ook op rood of zwart en even of oneven inzetten, maar dat levert maar een verdubbeling van je inzet op.'

'Inzetten op rood of zwart? Dat is toch een goede kans, vijftig procent? Laten we daar maar mee beginnen.'

'Wat jij wilt,' zei Mirov, een beetje teleurgesteld. Hij zag Madhu liever risicovoller inzetten. 'Wat denk je, rood of zwart?'

'Zwart,' zei Madhu. 'Denk ik.'

'Zwart.' Mirov pakte de helft van de fiches en legde ze op de zwarte ruit in het speelveld.

Ook de andere spelers zetten in. Een man met een sigaar speelde niet met ronde fiches maar met rechthoekige plaatjes. Hij kuste er een voor hij het op het veld met het woord *even* legde. Madhu boog zich een beetje voorover en zag dat er 50.000 op het zwarte plaatje stond.

Er kwam twijfel op bij Madhu, het kon natuurlijk ook rood worden. Ja, het werd vast rood. Hij pakte Mirov bij zijn arm. 'Mogen we het nog veranderen naar rood?'

'Denk je dat het rood wordt?' Mirov pakte snel de fiches op. 'Schiet op, kiezen.'

'Ja,' zei Madhu. 'Rood.' Maar hij twijfelde alweer.

'Prima.' De fiches rinkelden toen Mirov ze op rood legde.

Neddie gaf een draai aan het wiel en schoot met een handige beweging de kogel in de cilinder.

'Niets meer inzetten alstublieft,' zei de croupier toen.

Het wiel begon langzamer te draaien en de kogel stuiterde een paar keer voor het in een van de zevenendertig vakjes viel.

Mirovs ogen glinsterden.

'Elf zwart,' zei Neddie.

'Elf zwart,' herhaalde Mirov. 'We hebben verloren. Spijtig.'

Neddie veegde hun tien fiches weg van het rode vak en zette ze bovenop een stapeltje voor hem. Ook het plaatje van 50.000 kwam bij Neddie te liggen.

'Wat doen we nu?' Mirov hield de tien fiches voor Madhu's gezicht. 'Gebruik jij je krachten wel?'

'Meneer Mirov, we hebben het er toch al over gehad? Ik kan dat echt niet zomaar aan of uit zetten. Zet maar in op rood.'

'Rood?' Mirov legde acht fiches op rood. En welk nummer? Laten we ook twee fiches op een getal inzetten. Kijk eens goed.'

Madhu staarde naar het groene veld met de hokjes, de symbolen, naar het wiel met de cijfertjes. Geen trillinkje, geen brom. Elf? Nee, dat was net al. Vier? Nee, die is zwart. 'Doe maar tweeëndertig,' zei Madhu. Voel ik iets? Nee. Alles is leeg, dacht hij.

Mirov legde plechtig de laatste fiches op tweeëndertig.

De kogel tolde alweer rond in tegengestelde richting van het draaiende wiel.

Madhu zag vanuit zijn ooghoek dat Mirov nerveus van het spel wegkeek.

'Drieëndertig zwart,' klonk Neddie's stem.

Een jonge vrouw omhelsde de man met de sigaar. Hij keek volkomen gelukkig. Twee jongere mannen draaiden zich om en liepen weg van de tafel.

'Hebben we ze nu alle twintig weggespeeld?' vroeg Madhu. 'Twintig keer vijftig?'

'Een duizendje, ja,' zei Mirov. 'Wil je nog meer fiches?'

'Nee, ik krijg hier buikpijn van.'

'Alsjeblieft, Madhu, nog één keer.' Mirov stak zijn wijsvinger op. 'Neddie, nog één fiche. Madhu gaat nu echt zijn best doen. Let op.'

'Ben ik nu een circusattractie geworden?' vroeg Madhu.

'Concentreer je maar. We spelen op een nummer. Erop of eronder.'

'Dit is echt de derde en laatste keer, meneer Mirov.' Madhu zuchtte. Hij moest zijn verstand uitzetten, de wetenschap vergeten die voorspelde dat de kans op winnen heel klein was.

De rest van de mensen zetten ook in.

Neddie stapelde zijn fiches en ordende de plaques.

Waarom voelde Madhu niets? Waar bleef die blikseminslag? Die schicht van onbegrijpelijk weten?

'Madhu? Wat doen we?'

De handige vingers van Neddie pakte de kogel alweer op.

'Madhu?' Mirovs stem klonk hoger nu. Gejaagd.

Acht. Madhu peuterde het fiche uit Mirovs hand en gooide het op vakje acht, vlak voor Neddie sprak: 'Niets meer inzetten alstublieft.'

'Net op tijd,' zei Madhu tegen Mirov, die hem verwonderd aankeek.

De kogel raasde langs de rand, verminderde langzaam vaart en botste een paar keer tegen de koperen obstakels in de cilinder.

Ruim een rotatie lag de kogel al in een vakje, maar het was niet te zien in welke.

'Ja!' riep Mirov. Hij stak twee vuisten in de lucht.

'Acht zwart,' zei Neddie. 'Inderdaad.'

'Dat is hem,' zei Mirov. 'Je kunt het!' Hij tilde Madhu op. 'Hoe deed je dat?'

Een bedwelmende triomf maakte zich even van Madhu meester. Hij kon winnen. Of was het geluk? Hij dacht aan zijn neef Inni. Aan zijn moeder.

'Hoe deed je dat?' vroeg Mirov weer.

'Ik weet het niet,' antwoordde Madhu. 'Ik weet niet of ik iets deed.'

Mirov liet Madhu los en tilde zijn zonnebril op om naar de muntjes te kijken die hun richting werden opgeschoven. 'Geweldig. Zag je dat, Neddie?'

'Enkel nummer, meneer Mirov. Keurig,' antwoordde Neddie kalm. 'Maar kan hij het nog eens, vraag ik me af.'

'Madhu, laat het nog eens zien.'

'Nee, meneer Mirov. We gaan eten.'

'Dit kun je me niet aandoen.' Mirov keek alsof hij in huilen ging uitbarsten.

'Ik hou er echt mee op.' Madhu voelde geen enkel medelijden met Mirov, die nu nog steeds geen uitsluitsel had gekregen. Sterker nog, hij vond het op de een of andere manier wel vermakelijk dat alles in het midden bleef – Madhu wist zelf niet eens of hij nu stomweg geluk had gehad of dat zijn aanleg hem had geholpen.

Het maakte hem ook niets uit, dus waarom zou iemand anders het dan moeten weten?

Het duurde even voor Mirov zich had neergelegd bij Madhu's besluit om te stoppen met roulette. Pas toen ze aan een tafel van het restaurant helemaal boven in het gebouw zaten en hun drinken geserveerd kregen, begon hij, zij het nog wat nukkig, weer te praten.

'Madhu?'

'Ja, meneer Mirov?'

'Je weet toch wanneer mijn bruiloft is?'

'Ja, natuurlijk weet ik dat.' Madhu nam een slok appelsap om zijn lach te verbergen. Het leek hem onverstandig en onbeleefd om Mirov openlijk uit te lachen omdat hij eruitzag als een mokkend kind. 'De dertigste januari.'

'Klopt. En Mosra-Ni begint ongedurig te worden. En als zij ongedurig wordt, zorgt ze ervoor dat ik dat ook word. Ze heeft vandaag gedreigd het huwelijk af te blazen als die steen niet op tijd terug is. Met andere woorden, Madhu: ik wil resultaat zien. En snel.'

'Dat komt. Snel.'

'Maar wanneer dan? Heb je iets ontdekt?'

'Ik ben iets op het spoor, ja.'

'Waarom vertel je me niks?'

'Dat heb ik beloofd aan degenen die ermee te maken hebben.'

Mirov trok zijn wenkbrauwen op. 'Is het soms de regering? Lenolo heeft iemand een theorie ontfutseld dat de geheime dienst alles zou hebben uitgedacht, zodat bepaalde veiligheidsplannen gemakkelijk doorgevoerd kunnen worden. Is daar iets van waar? Heeft de overheid mijn steen?'

'Nee, nee. Het is niet de overheid.'

'Wie dan wel? Die degenslikker en zijn bende soms? Ik heb horen praten over de rare rituelen die zij uitvoeren: vrouwenoffers, maanaanbidding. Is het Entitas?'

Madhu voelde bloed naar zijn gezicht stromen.

'Zie je! Ik wist dat het iets met die avond te maken had. Wat zijn dat voor…' Mirov stopte met praten omdat de ober soep, brood en boter kwam brengen.

'Ik kan echt even niets zeggen,' fluisterde Madhu, toen de ober zich omdraaide. 'Alstublieft, maakt u me het nu niet te moeilijk. Ik heb vanochtend ook hetzelfde gesprek met meneer Andama gehad. Ik kan echt niks zeggen. Als ik dat doe, zal het de zaak eerder tegenwerken en dat wilt u toch ook niet?'

'Nee, dat wil ik zeker niet.'

'Ik voel dat binnenkort alles is afgelopen: alle misdaden, alle onrust. En ik verwacht ook uw steen terug te krijgen. Het gaat de borduurder helemaal niet om die diamant. Hij heeft heel andere bedoelingen.'

'Je praat in raadsels.' Mirov nam een hap van zijn soep en wees met zijn lepel naar Madhu. 'Normaal zou ik heel boos worden op iemand die me geen antwoorden geeft. Jij en die wereldvreemde vogel van een Andama. Hij ademt te veel ijle lucht in daarboven.'

'Ik begrijp dat u het niet leuk vindt dat ik u er even buiten houd,' zei Madhu.

'Niet leuk vinden? Weet je wat mijn vader met je gedaan zou hebben als je hem zo behandeld had? Ik zou je moeten …' Mirov scheurde ruw een stuk brood in tweeën om uit te beelden wat hij niet uitsprak.

'Maar gelukkig doet u dat niet.' Madhu had zich voorbereid op dit moment en wist precies wat hij nu moest zeggen.

'O nee? En waarom denk je dat ik dat niet doe? Of laat doen?'

'Omdat u vindt dat het tijd is voor een andere aanpak. Dat vertelde u me laatst zelf; u gelooft niet meer in de harde hand. Geen spierballen meer. U wilt varen op uw gevoel, uw instinct. Waarschijnlijk heeft uw instinct u nu laten weten dat u er goed aan doet mij gewoon mijn gang te laten gaan.'

Mirov maakte een snuivend geluid. 'Je weet het mooi te zeggen. En wat als mijn instinct me morgen wat anders laat weten?'

'Dan zal ik erop moeten vertrouwen dat u zich aan uw beloftes houdt.'

'Welke beloftes?'

'U hebt mij laatst beloofd dat ik geen gevaar zou lopen. En dat meneer Andama tot de dertigste veilig zou zijn. Ik geloof dat u de uitdrukking "buiten schot" gebruikte.'

'Mosra had gelijk,' zei Mirov hoofdschuddend.

'Waarin had ze gelijk?'

'Ik laat een twaalfjarige een loopje met me nemen.'

'Meneer Mirov, ik neem u echt niet in de maling. Ik vraag alleen nog even om wat tijd en vertrouwen. En uw bescherming als ik die nodig mocht hebben.' Madhu had bedacht dat hij zich een stuk veiliger zou voelen als hij Mirov en zijn drieling aan zijn zijde had tijdens de confrontatie met de borduurder. En dat die confrontatie ging komen, wist hij bijna zeker.

'Bescherming?' Mirov keek Madhu aan.

'Ja, het wordt misschien wel riskant.'

De ober kwam weer aanlopen. Hij zette volle glazen op tafel, lege op zijn dienblad en vroeg of alles naar wens was.

'Goed dan,' zei Mirov toen de ober was verdwenen. 'Ik zal nog een week op je vertrouwen en je met rust laten totdat jij zegt me nodig te hebben. Maar laat me niet in de steek. Want dan laat je Firi ook in de steek, als je begrijpt wat ik bedoel.'

'Ik begrijp wat u bedoelt.'

'Goed. Niet dat ik dat leuk vind natuurlijk. Ik heb liever dat alles gaat zoals jij het verwacht.'

'Dat weet ik.'

Mirov leunde achterover in zijn stoel. 'Je hebt lef, tact, een hang naar avontuur – jij zou een topstuk bij de Vakbond voor Straat- en Nachtarbeid kunnen worden.'

Madhu durfde nu wel hardop te lachen. 'En ik denk dat u een heel goede detective zou zijn.'

XI

Zaterdag 11 januari 1538, middag

Terwijl mijn meester en ik even niets zeggen, besef ik opeens dat mijn lichaam helemaal anders aanvoelt; krachtiger, strijdbaarder, trefzeker. Ik stel me voor hoe honderden, nee, tienduizenden goed uitgeruste, geharde en loyale soldaten door mijn binnenste marcheren. Hun harnassen hebben mijn lievelingskleuren rood en goud, en de twintig boomlange krijgsmannen voorop dragen vaandels met de letter D erop. Trommels roffelen, verbeten blikken en lansen zijn naar alle kanten gericht. Er is een klopjacht ingezet op de legers van pijn, beschadiging en ziekte. Alles en iedereen die in mijn lijf dit toppunt van gezondheid probeert te verstoren, wordt door deze overweldigende strijdmacht neergeslagen.

Er heersen nieuwe regels binnenin Drozier.

'Ik ben trots op je.' Mijn meesters stem is laag. Hij kijkt me niet aan. 'Het was stom van me om je experimenten te verbieden.'

Een ogenblik overweeg ik mijn gelijk te halen door mijn mond te houden. 'Ik begrijp heel goed waarom u dat deed,' zeg ik toch, en ik meen het.

Barhennio glimlacht even. Er is iets onaangenaams verschenen in zijn schichtige ogen. 'En de eindformule, de productiemethode? Mag ik die zien?'

Iets vertelt me dat er iets mis is. Wantrouwen sijpelt door me heen. Ik tast zo onopvallend mogelijk in het voorvak van mijn schort en vind een van de twee stukjes perkament waarop alles staat wat Barhennio me vraagt. Alles wat ik voor hem heb gemaakt. Datgene waarvan ik plotseling niet zeker ben of ik het aan hem wil afstaan.

'Die heb ik niet hier,' draai ik.

'Hoe bedoel je, niet hier?' Kijkt Barhennio naar mijn schort?

'Die …' Er komen geen woorden in me op.

Barhennio laat me worstelen met mijn nog te bedenken verzinsel.

'Die, die bewaar ik hier,' red ik mezelf. Ik tik met mijn hand tegen mijn hoofd. 'Er is echt niet zoveel verschil met wat u al had.'

'Maar wat zijn die verschillen dan? Kun je dat voor me opschrijven?' Barhennio twijfelt even en voegt eraan toe: 'Ik wil meteen een en ander testen. Vanavond. Samen met jou.'

Aan alles wat ik zie en hoor, merk ik dat hij liegt; mijn onrust slaat om in angst. Waarom heb ik me niet eerder bedacht dat deze situatie zou kunnen ontstaan? Dat mijn meester de formule wil, zonder mij.

'Mag dat tot morgen wachten? Ik ben moe van alle verwondingen die ik mezelf vandaag heb aangedaan.' Ik weet zeker dat mijn lach er zo onecht uitziet als hij is.

Barhennio zwijgt even en kijkt naar de grond. Als hij zijn ogen opslaat, zie ik de volgende stap: intimidatie, dwang. 'Je maakte dit voor mij, Drozier. Met mijn spullen.' Zijn hand ligt nu op de beker met de balsem. 'Ik wil dat je me vertelt hoe je het hebt gedaan.' Hij gaat staan. 'Maar jou kennende heb je het allang opgeschreven. Jij werkt altijd met aantekeningen.' Met een snelle beweging pakt hij me met zijn rechterhand bij mijn haar, terwijl zijn andere hand in de zak van mijn schort verdwijnt. Zijn linkerhand komt terug met een stuk perkament; de basisformule met het meeste van mijn aanvullingen. Het tweede, kleinere deel van het perkament met de rest van de eindformule heeft hij niet. Waarschijnlijk heb ik dat toch ergens anders opgeborgen.

Barhennio's rechterhand balt samen van woede, mijn hoofd trekt scheef omdat hij onbeheerst aan mijn haren trekt. 'Jij smerige leugenaar,' sist hij. De klap op de zijkant van mijn hoofd is zo hard dat ik misselijk word.

'Alleen met de eer aan de haal gaan, hè? Jij achterbakse slang.' Een tweede slag verwoest krakend mijn neus. Ik schreeuw van schrik, niet van pijn. Er klinkt een monter geritsel door de holtes van mijn hoofd en ik voel hoe het neusbot zich onmiddellijk herstelt. Een uitdagende lach kan ik niet onderdrukken. Barhennio kan me niet kwetsen. Mijn leger is paraat en op volle sterkte.

Barhennio laat zich niet van zijn stuk brengen en pakt me met zijn grote handen bij mijn polsen en duwt me tegen de muur. Ik doe een poging me te verweren maar kan niet voorkomen dat hij mijn handen vastbindt met het koord dat om zijn middel zat.

Ze spraken weinig tijdens de autorit. Madhu zat de meeste tijd half dommelend naar buiten te kijken terwijl Olmander zich concentreerde op de besneeuwde wegen. De radio stond zachtjes aan. Ze hadden de stad achter zich gelaten en reden over een landweg in een heuvelachtige omgeving met naaldbomen.

In de tas op Madhu's schoot zat het politiedossier dat Andama de afgelopen middag nog doorgespeeld had gekregen. Een map gevuld met verhoren van de bouwvakkers die afgelopen zondagavond het vlot hadden aangetroffen. Rapporten van rechercheurs, analyses van de aangetroffen sporen en gebruikte materialen. Foto's van de omgeving, de gruwelijke poppen, het borduursel, het houten vlot in de Nogar, en niet te vergeten het vierde paar getallen dat de borduurder had achtergelaten – gekerfd in een van de houten balken waarvan het vlot was gemaakt.

'We zijn er,' zei Olmander. Het was tien voor halfacht en ze reden een erf op. Verscholen tussen bomen stond een boerderij.

Ze stapten uit. Madhu volgde Olmander langs de onverlichte zijkant van het gebouw. De wind suisde langs het riet op het dak.

Aan de achterkant van de boerderij was een enorme schuur, die ze via een houten schuifdeur betraden. Het was er warm en muf. Toen Olmander met een schakelaar acht grote lampen aan het plafond aandeed, zag Madhu dat de schuur diende als opslagruimte. Langs de muren stonden honderden decorstukken opgesteld: sierbogen, rotswanden van papier-maché, levensgrote bomenrijen van hout, spiegelwanden, een ingang van een kasteel, complete straten met lantaarnpalen, geboetseerde golven, kartonnen piratenschepen.

De rest van de ruimte was gevuld met kleinere goochel- en illusionistenattributen: metalen kooien, lampen, verschillende takelmechanieken, zwaarden, gordijnen, speren, honderden meters ketting in allerlei maten, fakkels en de watertank die Madhu al in het Quarto Balto had gezien.

'Hierlangs, Madhu,' zei Olmander. Hij verdween achter een doek waarop een middeleeuwse kerker was geschilderd. Erachter bevond zich een deur. Olmander liet Madhu voorgaan.

In een door kaarsen verlichte hal werden ze opgewacht door Barhennio en een man die aan Madhu werd voorgesteld als Niboeck, de secretaris van de Orde der Bestendigen. Madhu werd zenuwachtig van Niboecks schichtige blik en de manier waarop hij steeds een lok zwart haar van zijn voorhoofd veegde.

Ze liepen verder, een gang in. Aan weerszijden van de gang zaten acht deuren, waarvan er twee snel dichtsloegen voor Madhu langskwam. De een na laatste deur aan de rechterkant bleef op een kier staan. Er kwam een zagend geluid vandaan. In het voorbijlopen gluurde Madhu naar binnen en hij herkende Trismegista.

'Hallo, Madhu,' zei Trismegista. 'Hoe gaat het ermee?'

'Goed. En met u?' Madhu hield halt.

'Je mag binnenkomen, hoor.' Trismegista gaf de deur een zet, zodat die verder openzwaaide. Madhu deed een stap de kamer in.

Trismegista stond met een klein zaagje in haar hand voor Alminus Uga. Uga's bovenlijf was ontbloot, en op zijn bovenborst was een wit uitsteeksel te zien.

'Ik help mijn neef nog even voor de vergadering.' Trismegista zette het zaagje terug in de zaagsnede vlak op Uga's huid en ging verder met zagen. 'Over een uurtje gaat dit hem vreselijk in de weg zitten.'

'Is dat bot?' Madhu keek naar de zeker vijf centimeter lange staak die Trismegista nu bijna had doorgezaagd.

'Ja, wildgroei van zijn sleutelbeen. Het is een vervelende bijwerking van de balsem. Dit moet zeker twee keer per dag gesnoeid worden.' Ze maakte nog een paar laatste, snelle zaagbewegingen.

'Zo.' Met een tik viel het stuk bot op de tegelvloer. Trismegista pakte het op en gooide het in een pedaalemmer. 'Volgens mij moet je verder.' Ze knikte naar Olmander, die achter Madhu in de deuropening stond te wachten. 'Ik zie je zo bij de vergadering.'

Sprakeloos liep Madhu weer achter de anderen aan. In een volgende hal, waarop een groene en een zwarte deur uitkwamen, nam Olmander afscheid. Hij verdween achter de zwarte deur.

Barhennio hield de groene deur voor Madhu open. 'Welkom in mijn kamer,' zei hij.

Barhennio's kamer was vierkant en betrekkelijk groot, iets van tien bij tien meter. De houten planken op de vloer waren door vocht kromgetrokken, waardoor het aanwezige meubilair schots en scheef stond. De bijzettafeltjes met paperassen en opengeslagen boeken, het bureau in het midden, de vier zitstoelen rondom een leren poef met een dienblad vol vuil servies erop, het bed dat deels verscholen ging achter een zwaar

fluwelen gordijn – alles wankelde en stond maar gedeeltelijk op de grond, behalve waar het voorlopig met blokjes hout,
boeken of iets dergelijks werd ondersteund. Eén meubelstuk
was echter groot en zwaar genoeg om de vervormde planken
te trotseren en rechtop te staan; een zwarte kast met tientallen laatjes en kastjes. Madhu voelde onmiddellijk een merk-
waardige aantrekkingskracht en kreeg de drang om willekeuri-
ge laatjes open te doen en overal in te gaan kijken.

En hij zou het doen ook, als hij maar even alleen gelaten
werd.

Vanuit zijn ooghoek zag Madhu Niboeck nadrukkelijk
naar hem kijken.

'Wat is dit voor pot?' Hij besloot de aandacht van de kast
af te leiden en wees naar een beker met een deksel. Het wit-
marmeren zuiltje eronder en het spotje erboven vertelden dat
dit voorwerp meer was dan een gewone beker.

'Hierin heeft ooit de balsem gezeten.' Barhennio kwam bij
Madhu staan en pakte de pot op bij de tinnen voet.

'Echt? Mag ik er eens in kijken?'

'Natuurlijk, maar hij is helemaal leeg.' Met een zingend
geluid kwam het deksel los.

Madhu boog zich voorover en zag dat er inderdaad niets
in zat. Hij hield zijn neus erboven en snoof een metaalachtige lucht op.

'Tevreden?'

'Ik hoop dat de damp alleen me al wat minder kwetsbaar
maakt,' grapte Madhu.

'Helaas, jongen. Dat is heel onwaarschijnlijk.' Barhennio
glimlachte, zette de pot voorzichtig terug en drukte de deksel
erop.

Er werd geklopt. Een vrouw stak haar hoofd om de deur en richtte zich tot Barhennio en Niboeck: 'Kan ik jullie nog even spreken voor we beginnen? Alleen?'

Barhennio keek naar Madhu.

'Maakt u zich om mij maar geen zorgen,' zei Madhu met-een. Hij liet zich in een van de vier stoelen zakken en pakte een boek naast zich op. 'Ik vermaak me wel.' De kast, dacht hij onmiddellijk. De kast.

'Wil je niet dat ik even bij hem blijf?' sprak Niboeck. Hij knikte naar Madhu, die op dat moment de stem van Niboeck herkende als die van Bitter, de instrumentariumartiest. 'Zodat hij hier niet … alleen is?'

'Madhu, vind je het vervelend als we je hier even laten wachten? Het duurt niet lang.'

'Helemaal niet.' Madhu sloeg het boek open en begon de inhoudsopgave door te nemen.

'Dat kan wel even,' knikte Barhennio naar Niboeck. 'Madhu, tot zo.'

'Tot zo,' zei Madhu, kort opkijkend van het boek dat hem zogenaamd al volledig opslokte. De ogen van Niboeck wist hij te ontwijken.

De deur viel dicht.

Madhu kon zich nauwelijks bedwingen om meteen op te springen en naar de kast te rennen. Maar hij besloot tot dertig te tellen en dan pas op te staan. Dat bleek verstandig, want toen hij bij negentien was, vloog de deur open en kwam Niboeck alweer binnen. Madhu had zijn gezicht op tijd naar het boek kunnen richten en keek verbaasd op.

'Ik moet nog even wat pakken,' zei Niboeck. Aan zijn gezicht zag Madhu dat hij niet de waarheid vertelde. Hij scharrelde wat op het bureau en verdween even snel als hij gekomen was.

Opnieuw begon Madhu te tellen. Bij dertig stond hij op en beende hij naar de kast. Het was een imposant ding. Niet zozeer vanwege de hoogte, Madhu kon gemakkelijk over de matzwarte bovenkant heen kijken, maar vooral vanwege de breedte (zeker vier meter) en de grofheid ervan. De kast was opgetrokken uit loodzware planken en doortimmerd met enorme nagels en bouten. Boven in het midden zat een rond gedeelte met zestien kleine laatjes, die delicater waren dan de andere en daardoor des te meer opvielen.

Madhu haalde een keer diep adem en realiseerde zich dat wat hij ging doen bijzonder ongemanierd was. En riskant bovendien. Maar hij kon niet anders. Dit moest gebeuren; voor Andama, voor Mirov, voor Barhennio zelfs, voor het verleden. Voor alles en iedereen.

Het eerste laatje was dicht, net als het volgende. En de daaropvolgende. Alle zestien laatjes in het ronde gedeelte zaten op slot. Maar een lade helemaal onderin bleek open en vol te zitten met boeken, papieren en bundeltjes foto's. Nee. De volgende la die openging, was volgestouwd met oud aardewerk en mappen. Een kastje bevatte rollen groen papier en in weer een andere, grote kast stonden glazen cilinders, gedeeltelijk gevuld met troebele vloeistoffen. Nee. Nee. Wat zoek ik toch? dacht Madhu. Als in trance ging hij door. Open, doorzoeken en weer dicht. Open, doorzoeken en weer dicht.

Enigszins afgesloten van wat er om hem heen gebeurde, duurde het langer voor de voetstappen op de gang tot Madhu doordrongen. Zo snel als hij kon controleerde hij de kast op openstaande deurtjes en laatjes, waarna hij met een katachtige sprong terugkeerde in de stoel waar hij was achtergelaten.

Het boek lag net weer op zijn schoot toen alleen Barhennio binnenkwam.

'Dat was dat. Leuk boek? Wat heb je eigenlijk gepakt?'

Madhu had geen flauw idee wat de titel was en hield daarom het boek voor Barhennio omhoog.

'O, de onderwaterwereld is fascinerend. Toen ik zo oud was als jij, was het al een hele kunst om schepen boven water te houden. Toen dacht nog niemand aan wat er duizenden meters lager gebeurde.'

'Er is een hoop veranderd,' praatte Madhu mee.

'Dat kun je wel zeggen. Soms heb ik weleens heimwee naar vroeger.' Barhennio zuchtte. 'Laten we vast naar de ordezaal gaan. Iedereen zit al binnen.'

Alle gesprekken verstomden toen Madhu achter Bar-hennio de ordezaal binnen kwam. Sommige ordeleden knikten hun gast gedag, terwijl anderen hem afwachtend aanstaarden. Madhu besloot zich persoonlijk voor te stellen aan hen die hij nog niet kende. Met uitgestoken hand liep hij af op degene die het dichtst bij de ingang aan de ovalen tafel zat, een zwaarlijvige man met een sikje.

De man stond op uit zijn stoel, greep Madhu's hand en zei: 'Mijn naam is Bauzu de Fentes. Welkom. Ik heb je eergisteren al even van dichtbij kunnen bekijken.'

'Van dichtbij? Hoe dan?' vroeg Madhu.

'Ik vloog bij je langs.'

'Wolfraam. Natuurlijk, u was afgelopen zondag de kanonskogel.' Wolfraams stunt stond Madhu nog helder voor de geest, net als het strakke, felgele pak waarin zijn kogelronde lichaam tijdens die voorstelling was gehesen.

Madhu ging de hele tafel rond. Hij ontmoette Karmonte (een tengere vrouw met stroachtig grijs haar), Sarlemijn (zonder meer de persoon met de verst uit elkaar staande ogen die Madhu ooit had gezien), Lamantius (waarvan Madhu nog wist dat het de tandarts was), Maurall (met een bochel en ijskoude handen), Civitato (die door Trismegista werd bespot toen hij zich voorstelde als markies Civitato) en Cogluas (het oudste ordelid met een eerbiedwaardig voorkomen).

Voor Madhu was een stoel neergezet tussen Sarlemijn en Olmander.

'Dus jij komt ons verder helpen?' vroeg Sarlemijn toen Madhu naast haar plaatsnam.

'Ik hoop het. Ik denk dat we elkaar nodig hebben om te ontdekken wat er aan de hand is.'

'Wij kunnen hier wel wat onpartijdigheid gebruiken. Al het onderlinge vertrouwen is weg. Iedereen verdenkt iedereen.'

'Denk jij dat regel vier uit het statuut …?' begon Madhu nieuwsgierig.

'Laten we zo verder praten. We beginnen.' Sarlemijn wees naar Barhennio, die was opgestaan en zijn keel schraapte.

Een paar mensen gingen verzitten en schoven nog wat met pennen en papieren. Toen was het helemaal stil in de zaal, afgezien van hout dat knapte in de haard.

'Beste ordeleden,' begon Barhennio. 'Toen wij in 1530 gezamenlijk de fundamenten van onze Orde legden, hield ik er al rekening mee dat we in de loop der tijd te maken zouden krijgen met meningsverschillen. Dat gebeurt nu eenmaal wanneer wijze, zelfstandig denkende mensen lang samenwerken.'

Er werd instemmend gemompeld.

'Ook hield ik er in 1530 al rekening mee dat er op een dag spanningen konden ontstaan over de verdeling van macht en de regelgeving. Want wanneer dezelfde wijze, zelfstandig denkende mensen samenkomen in een hiërarchische organisatie als onze Orde, valt te verwachten dat er kritische vragen zullen rijzen over wie er de baas is, waarom dat zo is, en of gemaakte afspraken nog wel goede afspraken zijn.

Maar ik ging er altijd van uit dat discussies ergens goed voor zouden zijn. Ik heb altijd gehoopt dat onze onderlinge meningsverschillen uiteindelijk zouden leiden tot herbezinning en vooruitgang.'

Madhu zag Bauzu iets in het oor van Trismegista fluisteren.

'Maar helaas is dat niet het geval gebleken,' ging Barhennio verder. 'We zijn het punt van fatsoenlijk discussiëren en gezamenlijke vooruitgang voorbij. Alles wijst erop dat we iemand in ons midden hebben die niet langer wil praten en onderhandelen, maar die aanstuurt op het verstoren van de redelijke verhoudingen binnen onze Orde. Iemand die door het nabootsen van een handwerk van een oude, derderangs tegenstander de aandacht wil trekken en daarmee bewust riskeert dat we worden ontdekt door de rest van de wereld. Een verrader.'

Sarlemijn schudde haar hoofd.

'Wat is er?' fluisterde Madhu.

'Het klopt niet.' Sarlemijn boog zich naar Madhu toe. Haar linkeroog draaide aan de zijkant van haar hoofd, als een kameleon.

'Wat niet?'

'Hoezeer we ook verdeeld zijn, ik kan me niet voorstellen dat het een van ons twaalven is die overal achter zit – hoe kun je al die dingen plannen zonder dat het anderen opvalt?'

'Je denkt dat zoiets niet geheim te houden is?' vroeg Madhu.

'Je kunt hier niet eens je nagels knippen zonder dat een van de andere leden het ziet. Je hebt geen enkele privacy zo met zijn allen in huis en …'

'Sarlemijn, Madhu,' riep Barhennio. 'Kunnen we de gesprekken voor alle leden toegankelijk houden? Geen gefluister alsjeblieft.'

Madhu stak verontschuldigend zijn hand op en voelde zich de ongehoorzame leerling van de klas.

'Mijn excuses, Barhennio,' zei Sarlemijn. 'Ga je gang.'

'Maar er is nog hoop. Want ieder van ons heeft aangegeven de handen in elkaar te willen slaan om de verrader te ontmaskeren. De meerderheid van jullie vond het echter nodig om daarvoor hulp van buitenaf te vragen.' Barhennio pauzeerde en liet zijn blik rusten op Madhu. 'Het is geen geheim dat ik niets zag in het uitnodigen van onze gast van vanavond. Maar nu hij er eenmaal is, ben ik bereid om het beste van onze samenwerking te maken. Deze jongeman, ik heb het vanmiddag nog even opgezocht, is de derde onbestendige die de eer krijgt een officiële ordevergadering bij te wonen. In 1643 overlegden we eenmalig met Darignano over de overname van zijn kapitaal. En tussen 1802 en 1811 hadden we wekelijks Trismegista's zoon Olvar in ons midden. Het is voor ons een grote stap om opnieuw een buitenstaander in vertrouwen te nemen, maar laten we toch proberen gezamenlijk tot een oplossing van ons probleem te komen. Beste ordeleden, ik stel hem nog eens aan jullie voor: dit is Madhu Mahavir.'

Men klapte en keek naar Madhu, die niet had gerekend op zo'n officiële introductie.

Barhennio hief zijn hand op, waarop het weer stil werd. 'Maar voordat ik Madhu het woord geef, wil ik nogmaals de regels benadrukken die we vandaag in acht moeten nemen. Ten eerste: laten we open en eerlijk zijn, maar geen onnodige informatie verstrekken. Denk goed na over wat je in Madhu's aanwezigheid zegt en hou je bij twijfel in. Het is zowel voor Madhu als voor ons beter als uitsluitend het noodzakelijke besproken wordt. Regel twee: we zijn hier uitsluitend bijeen om meer duidelijkheid te krijgen over de identiteit van de borduurder. Als de motieven voor zijn acties ter sprake komen, reken ik erop dat we niet opnieuw verzanden in debatten over bepaling vier, de balsem of andere statuutszaken. En drie: eer de pijlers waarop onze Orde steunt.'

'Rechtschapenheid, verheffing en levensgeluk,' riepen alle ordeleden in koor.

'Dank jullie wel.' Barhennio ging zitten. 'Madhu, ga je gang.'

'Goedenavond,' zei Madhu. Hij ging even staan maar besloot dat hij toch liever zat. 'Ik ben hier vanavond niet alleen voor u. Ik ben hier ook voor mezelf, of eigenlijk voor een vriend van mijn oom en mij, meneer Andama, die beroofd is. Maar dat weet u al wel, denk ik.'

Maurall grinnikte; een beetje om Madhu's opmerking, maar ook om het jachtige tempo waarmee de woorden uit zijn mond gebuiteld kwamen.

'Ik ben een klein beetje zenuwachtig,' legde Madhu uit. Hij voelde zijn wangen gloeien.

'Het gaat prima,' zei Trismegista vanaf de overkant van de tafel. 'Ga maar rustig verder.'

Madhu haalde nog eens diep adem. 'Barhennio zei net wel dat iedereen hier de borduurder wil vinden, maar dat is misschien niet zo. Want als de borduurder een ordelid is, dan zit er nu een persoon aan tafel die hoopt dat deze bijeenkomst juist een grote mislukking wordt. Een rare situatie.'

Iedereen knikte.

'Ik zie dat u het met me eens bent. Denkt echt iedereen dat de borduurder hier aanwezig is?' vroeg Madhu. 'Of laat ik het anders vragen: wie weet zeker dat de borduurder een bestendige is?'

Er gingen tien handen de lucht in. Alminus Uga keek de andere kant uit en Sarlemijn maakte twijfelende gebaren.

'Hoe kan je daar nu nog niet zeker van zijn, Sarlemijn?'
vroeg Karmonte op scherpe toon.

Sarlemijn haalde haar schouders op. 'Dat zei ik net al tegen
Madhu: ik kan het me eenvoudigweg niet voorstellen dat een
van ons al die dingen voorbereidt en uitvoert zonder dat
iemand het merkt. Kijk eens naar wat er zondagavond is
gebeurd bijvoorbeeld: er is een enorm vlot gebouwd, volge-
stopt met rare, aangeklede figuren van vlees. Kettingen aan
elke kant van de rivier, lampen erop. Een hele organisatie.
Hoe kan een ordelid dat allemaal voor elkaar hebben gekregen de laatste dagen? Iedereen zat aldoor bij een ander, niemand is alleen geweest.'

'Maar wat denkt u dan?' vroeg Madhu. 'Hebt u een ander
idee?'

'Ik weet het niet. Dat het een complot is waaraan meer leden tegelijk meedoen misschien. Meerdere mensen kunnen
elkaar alibi's verschaffen. Maar van Barhennio begreep ik dat
jij denkt dat er maar één dader is, nietwaar Madhu?'

'Ja. Ik weet zo goed als zeker dat alles het werk is van een
en dezelfde persoon.'

'In dat geval vind ik het heel erg moeilijk om aan te nemen
dat het iemand uit dit huis is,' zei Sarlemijn.

'Maar je twijfelt er toch niet aan dat die overval van 4 januari
door iemand werd gepleegd die de balsem kreeg?' zei Bauzu.
'De mate van bestendigheid, de tanden. Hoe verklaar je dat
dan?'

'Dat kan ik ook niet verklaren,' zei Sarlemijn.

'Ik denk dat je het te kwetsend vindt om aan te nemen dat
het een van je eigen mensen is en dat je daarom zoekt naar
andere verklaringen,' zei Bauzu.

'Misschien.' Sarlemijn keek naar de tafel. 'Misschien wil ik het inderdaad niet geloven.'

Madhu luisterde aandachtig. 'En is er hier helemaal niemand die denkt aan iemand van buitenaf? Een onbekende bestendige misschien zelfs? Een dertiende?'

Het viel stil. Hoofden werden geschud, sommigen keken naar Barhennio.

'U ook niet?' vroeg Madhu aan Sarlemijn naast zich.

Sarlemijn haalde haar schouders op. 'Hoe dan?'

'Vergeet dat nu maar, Madhu,' zei Barhennio. 'Ik weet echt wel wie de balsem kreeg en wie niet. Het bestaan van een dertiende bestendige is onmogelijk.'

'Onmogelijk? Dat dacht ik tot een paar dagen geleden ook van een balsem die onkwetsbaar maakt,' zei Madhu.

'Zullen we dit soort ongegronde theorieën nog even laten rusten en ons met de feiten bezighouden?' zei Barhennio. 'Je had toch politie-informatie die je wilde bespreken?'

'Ja. Dat klopt,' zei Madhu, terwijl hij een volgetypt papier uit zijn tas haalde. 'Meneer Andama heeft goede contacten bij de plaatselijke politie en krijgt allerlei bewijsmateriaal doorgespeeld dat niet in de kranten en op het nieuws komt. Van een bepaald deel van die informatie weet ik zeker dat het belangrijk is, maar niemand snapt wat het betekent. Iets zegt me dat jullie daar wel meer mee kunnen.'

'Waarom houdt de politie in vredesnaam belangrijke gegevens achter? Zo vinden ze de borduurder natuurlijk nooit,' zei Maurall.

'Ik vond het ook niet handig,' zei Madhu. 'Maar iemand die voor meneer Andama werkt, zei dat de politie dat doet omdat ze anders overladen worden met tips en onder druk worden gezet door de media. Het schijnt dat er in het verleden verschillende politieonderzoeken zijn vastgelopen door zogenaamde hulp van buitenaf.'

'Belachelijk,' zei Maurall. 'Ze kunnen toch alle hulp en aanwijzingen gebruiken, dunkt me.'

'Tja. Maar gelukkig heeft meneer Andama toegang tot alle geheime dossiers, zodat ik u nu een en ander kan laten zien. En ik denk dus dat er iets bij zit dat speciaal voor u bestemd is. Voor de leden van de orde.'

Cogluas stak zijn hand op. 'En waarom denk je dat het voor ons bestemd is?' vroeg hij.

'Dat zal ik u nu meteen laten zien, meneer. Mag ik dat even lenen?' Madhu wees op het blocnote en de pen die voor Sarlemijn op tafel lagen.

'Ga je gang,' zei Sarlemijn. Ze schoof de spullen naar Madhu.

'Bedankt.' Madhu stond op en liep naar de muur. Met zijn rug naar de aanwezigen schreef hij iets over op het blocnote. 'Zo.' Hij draaide zich weer om.

Iedereen probeerde al te zien wat Madhu had opgeschreven. Het waren maar een paar tekens geweest.

'Ik ga u nu cijfers laten zien die de borduurder achterliet, elke keer dat hij toesloeg. Het waren steeds twee cijfers per keer, dus tot nu toe acht in totaal.'

'Hoe liet hij die achter dan? Op een briefje of zo?' vroeg Maurall.

'Hij kraste ze ergens op met een scherp, metalen voorwerp. Op de muur van de cel waar de baby's werden gevonden, op de zijkant van de overvallen transportwagen, op de kar met de dieren en op het vlot. Ik heb ze opgeschreven in de volgorde zoals ze per keer werden achtergelaten, chronologisch. De eerste twee cijfers zijn dus gevonden bij de baby's, en de laatste twee zondagvond op het vlot in de Nogar. Kijkt u er maar rustig naar.'

Gespitst op zenuwachtig of anderszins verdacht gedrag tilde Madhu het blocnote boven zijn hoofd. Hij had de volgende cijfers opgeschreven: 20 01 15 39. Zo groot als ze op het blaadje pasten.

'Dit kan niet waar zijn,' klonk het na drie seconden.

Iedereen keek naar degene die had gesproken. Er had iets zenuwachtigs in zijn stem geklonken. Iets van schrik ook.

Het was Barhennio geweest. Hij stond op en zag bleek. 'Is het zeker dat dit door de borduurder is achtergelaten?' zei hij.

'Ja,' zei Madhu.

Barhennio zakte weer in zijn stoel. 'Laat me eens kijken naar het papier waarvan je dit hebt overgeschreven.' Hij strekte zijn rechterhand uit naar Madhu, die met het getypte vel naar Barhennio toeliep en het aangaf.

Barhennio staarde naar het papier en trok verder wit weg. Hij mompelde iets in zichzelf.

'Wat betekent het?' vroeg Madhu. 'Is het is een datum?'

'Barhennio, wat is er?' vroeg Trismegista.

XII

Het uitzicht hier maakt me nog onrustiger. Vanuit de kamer die Niboeck heeft ingericht voor zowel zijn patiënten als zijn vrouwelijke gevangenen (iedereen weet dat hij voor beide categorieën ook dezelfde gereedschappen gebruikt) kijk ik uit op het grote plein, het stadhuis en het nieuwe, stenen gerechtsgebouw.

Ik kan me nog goed herinneren dat het gerechtsgebouw feestelijk in gebruik werd genomen. Inwoners van Mone-Daun mochten een week lang rondkijken in de rechtszalen, wandelen door de gangen vol met schilderijen van oude mannen en kijken naar de gevangenen in de ondergrondse cellen. Zeven dagen lang werden er elke dag twee mensen in het openbaar terechtgesteld. Om te laten zien hoe de stad afrekent met mensen die ongehoorzaam zijn.

Twaalf van deze voorbeelden waren mannen: zeven moordenaars, vier rovers en een brandstichter. Maar op de laatste dag stond het publiek te joelen bij de verbranding van twee vrouwen. Zij waren veroordeeld voor hekserij.

Van een van die vrouwen wist ik zeker dat ze onschuldig was; mijn moeder had misschien een zwarte ziel, maar van zwarte magie wist ze helemaal niets.

En nu zit ik hier bij Niboeck, arts en hekseninquisiteur. Aangeklaagd voor dezelfde onzin als waarvoor mijn moeder is vermoord. Met uitzicht op de plek waar zij haar laatste, angstige minuten heeft doorgebracht.

Het is drie uur. Deze tijd beschouw ik altijd als het midden van de nacht. Hoewel men twaalf uur middernacht noemt, vind ik dat de nacht dan feitelijk pas begint. En aangezien ik altijd om zes uur opsta, houdt de nacht voor mij op dat moment op. Een paar uur geleden verstomden de zware mannenstemmen die een ver- dieping lager overlegden over mijn schuld en lot.

Wasachtige plukken wolk razen door de middernachtelijke maanhemel. Kou wordt gedragen door de uithalen van de wind. Op het plein zie ik hoe twee zwerfhonden elkaar kapotbijten om een uitgemergelde duif die stijf bevroren op een hoopje zand ligt.

Ik wilde dat Barhennio me niet had zien huilen toen hij me hier zondagmiddag afleverde.

Ik mis Astil.

30

'Zie jij het dan niet?' vroeg Barhennio aan Niboeck. Hij gaf het velletje een harde zet richting Niboeck. Het schoot omhoog en viel van tafel. 'Is er helemaal niemand die het ziet?' Zijn stem klonk onvast.

'Wat, Barhennio?' vroeg Olmander.

Niboeck pakte het papier op van de planken.

'Het is inderdaad een datum. Een die op mijn netvlies staat gebrand – letterlijk. Ik wil even ...' zei Barhennio. Hij stond op. 'Ik zal het jullie laten zien,' zei hij terwijl hij de zaal uit liep.

'Een datum?' zei Niboeck. Hij staarde naar het papier.

'Waar heeft hij het over?' vroeg Karmonte.

'Wat voor datum? Laat die cijfers nog eens zien, Madhu,' zei Civitato.

Madhu hield het blocnote nogmaals omhoog.

'20-01-15-39, 20-01-15-39,' herhaalde Niboeck fluisterend. Opeens hief hij zijn hoofd op. '20-01-1539.'

'Weet je het weer, Niboeck?' Barhennio stond alweer in de deuropening van de zaal, met een rol vergeeld perkament in zijn hand.

'Dat is toch de dag waarop ...?'

'Ja. Het officiële, aan het publiek voorgelezen vonnis heeft nog steeds een eigen la in mijn kabinet,' zei Barhennio.

De rilling die net bij Madhu inzette, eindigde achter zijn

oor. Hij had meteen geweten dat er iets belangrijks in Barhennio's kast verborgen zat.

Barhennio rolde het perkament open en begon voor te lezen: *'Het gerechtshof van de stadsstaat Mone-Daun heeft na een uitgebreide rechtsgang (omvattende uitgebreide verhoren en bestudering van bewijsstukken) geoordeeld dat de gedaagde in ieder geval schuldig is aan de volgende vier vergrijpen: Eén: het pijnigen van dieren tijdens duistere riten. Twee: mensen tegen hun wil verliefd laten worden, met het afhandig maken van vermogen als doel. Drie: mensen kwaad doen zonder ze aan te raken. Vier: diefstal van wetenschappelijke formules en materialen van de leermeester.'*

Barhennio stopte en keek de zaal rond: 'Herinneren jullie je het nu weer?'

'Drozier? Gaat dit over Drozier?' zei Maurall.

'Jouw leerling?' zei Lamantius. 'Is zij de borduurder? Volgens Madhu zou het toch om een man gaan?'

'Over welke leerling hebt u het?' vroeg Madhu. 'Wie is Drozier?'

Anderen leken te verbijsterd om iets uit te brengen.

'En daarom,' las Barhennio verder, *'heeft het gerechtshof van de stadsstaat Mone-Daun besloten dat Drozier van Stellon, leerling van Barhennio van Stellon, op deze maandag de twintigste januari van het jaar 1539 de dood zal vinden op de brandstapel. Dat haar ziel mag worden gezuiverd door het vuur.'*

'Nee, nee, mijn broer houdt hier niet mee op. Hij is namelijk erg boos omdat jij alleen de politie en niet ons hebt ingelicht over die transactie van tweehonderd kilo afgekeurd vlees.'

Lenolo sprak voor zijn broer Tatlo, die druk doende was een volgeladen vitrine voort te duwen en op het etalageraam aan te sturen. Paslo keek geamuseerd toe hoe het gevaarte met een oorverdovend gekraak en gerinkel door de etalage heen ramde en daarna omviel.

De vloer van de slagerswinkel was bezaaid met glasscherven en artikelen die in de vitrine uitgestald hadden gestaan. Braadlappen, rollades, schapenbouten, patés en strengen worst, maar ook conservenblikken en potten kruiden. De inhoud van een grote pan ragout stroomde onder de winkeldeur door de straat op.

Twee slagersjongens die achterin gereedschap hadden staan schoonmaken, keken geschrokken door een kier van de klapdeur de winkel in.

'Hou die deur maar even dicht, jongens. Ik kom zo,' zei Dota, de eigenaar van de gelijknamige slagerij. 'Er is niets aan de hand.'

'Er is wel degelijk wat aan de hand, Dota. Je bent meneer Mirov vergeten. Begrijp je dat wij dat als een belediging ervaren?'

'Ik heb automatisch eerst de politie gebeld toen ik bedacht

dat ik waarschijnlijk de borduurder in mijn winkel had gehad. Daarna heb ik de zaak als afgedaan beschouwd.'

'Heb je dan niet gehoord of gelezen dat meneer Mirov naarstig op zoek is naar die vandaal?'

'Jawel.' Dota keek naar de lichtgroene tegeltjes op de vloer.

'Waarom dacht je dan niet: meneer Mirov was jaren geleden zo goed mij geld te lenen toen ik hier wilde verbouwen. Wat prachtig dat ik nu eens iets terug kan doen. Ik bel hem meteen op en vertel hem wat ik weet over de schoft die zijn diamant gestolen heeft.'

'Ik weet niet waarom ik dat niet dacht.' Dota keek verschrikt op toen het laatste glas dat in de sponning hing naar beneden kwam. Een grote, puntige scherf boorde zich in een homp vlees, maar zakte langzaam omver en viel alsnog kapot op de grond.

'Alleen contact opnemen met de politie, ik kan niet begrijpen dat iemand zo ondankbaar is. Je verwacht toch niet dat je bij hen terechtkunt voor het geld dat je nu weer nodig hebt voor de reconstructie van je etalageraam?' Lenolo gebaarde naar de ravage die zijn broer had aangericht.

'Nee. Dat verwacht ik niet.'

'Terwijl ik zeker weet dat meneer Mirov ondanks jouw misstap toch weer bereid is om jou geld te lenen. Dat is wel heel schappelijk van hem, vind je niet?'

'Dat is het zeker.' Dota zuchtte.

'Ik heb het idee dat je volgende keer wel meteen aan ons zult denken. Klopt dat?'

'Dat klopt, meneer Cambron.'

'Goed zo. Vertel ons dan nu maar over de man die hier is geweest voor het vlees waarvan die poppen op dat vlot waren gemaakt.'

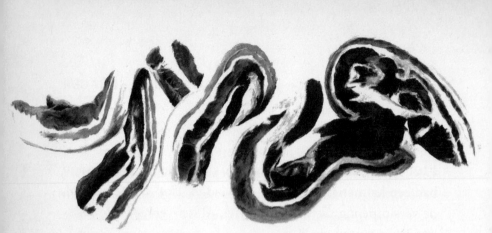

Tien minuten later kwam de drieling de slagerij uit gelopen.

'Nu noemt Dota ook al dat keurige accent van onze hoofd-verdachte. Wat moeten we daar toch mee?' zei Tatlo.

'En hij had wel weer tanden in zijn mond toen hij bij de sla-ger binnen liep. Het is een labiel figuur, denk ik,' zei Lenolo.

'Ik zal blij zijn als deze affaire achter de rug is. Er zijn …' Paslo brak zijn zin af en stopte met lopen. 'Nee. Moet je dit zien.' Hij gebaarde naar beneden. 'Een klodder van die smeri-ge ragout op mijn suède dienstlaarzen. Die borduursnob mag hopen dat hij uit mijn handen weet te blijven.'

Het uitzicht vanuit Andama's torenhoge appartement had een kalmerende werking op Madhu. Het was de afstand, de versimpeling die hem zo beviel. Al het verkeer, alle mensen in de straten, op de pleinen en in de gebouwen, alle aanwijzingen, opvattingen, patronen, feiten en geruchten; van bovenaf beschouwd werd alles overzichtelijker.

Voor de zoveelste keer overdacht Madhu wat er was gebeurd tijdens de bijeenkomst van de Orde der Bestendigen, nadat Barhennio de cijfers had herkend als de datum van de terechtstelling van zijn voormalige leerling Drozier.

Alle ordeleden hadden door elkaar heen gepraat en geroepen, en Barhennio was onderworpen aan een vragenvuur. Hij had tot in de kleinste details moeten vertellen over de dag waarop hij de balsem had gemaakt en genomen, wat volgens hem dezelfde dag zou zijn geweest als waarop hij ook Drozier de balsem had gegeven. Barhennio had opnieuw uit de doeken moeten doen hoe en wanneer hij ontdekte dat zijn leerling de formule voor de balsem had proberen te stelen. Er was fel gediscussieerd over Droziers motieven voor de diefstal, haar vermeende hekserij, de wreedheid en onrechtvaardigheid van de toenmalige vervolging van zogenaamde heksen, de rol van Niboeck (die toentertijd hekseninquisiteur was geweest), de rechtszaak, het vonnis en de executie.

Natuurlijk had Madhu meteen geïnformeerd naar de mogelijkheid of Drozier haar terechtstelling misschien had over-leefd en nu – eeuwen later – wraak wilde nemen op degenen die haar als heks lieten veroordelen. De leerling had tenslotte heel vroeg de balsem gekregen, wat betekende dat zij net als haar meester een hoge factor van bestendigheid kreeg.

Maar Barhennio en andere ordeleden wisten met zekerheid te zeggen dat Drozier de brandstapel niet had overleefd. Er waren tien leden bij de executie aanwezig geweest, en allemaal konden ze bevestigen dat Droziers lichaam volledig in vlam-men was opgegaan, een beeld waarvan Madhu had gegruwd.

Er waren allerlei andere theorieën aangedragen en weer onderuitgehaald. De stemming was zenuwachtig, chaotisch, zelfs emotioneel geworden toen men erachter kwam dat het over drie dagen 20 januari zou zijn, de datum waarop Drozier eeuwen geleden was verbrand.

Rond tien uur waren de gemoederen zo hoog opgelopen dat Barhennio de ordebijeenkomst had geschorst.

'Jij geniet hier ook van, hè?' Andama was zonder dat Madhu het had gemerkt naast hem komen staan. Hij maakte een wijds armgebaar naar de verlichte stad. 'De hoogte, bedoel ik.'

'Ja. Het is heerlijk om hier na te denken. Over de zaak. Over alles.'

Madhu had zich aan zijn belofte gehouden en Andama niets verteld over zijn contact met de Orde der Bestendigen.

Ze stonden daar even zij aan zij, toen opeens het oostelijk deel van de stad helemaal zwart werd.

'Wat krijgen we nu?' zei Andama.

Meteen daarop doofde al het licht in de binnenstad voor hen en met een harde klik viel ook de stroom in het gebouw en het appartement uit. De ijskast in de keuken gaf een laatste bibbering.

Het was op een ongewone manier erg stil en om hen heen strekte de verduisterde stad zich uit. Het enige licht kwam nog van auto's op de besneeuwde wegen en boten in de haven.

'Ik weet al wat dit is,' zei Madhu. 'Dit is de vrouw die de kaars uitblaast, het vijfde tafereel, de nachtelijke overdenking.'

'Meditatio Nocturna,' mompelde Firi Andama.

XIII

Dinsdag 14 januari 1539, middag

Ik heb Astil gezien. Aangeraakt zelfs. Ik heb hem zo vreselijk lief. Zo vreselijk dat het me vloeibaar maakt vanbinnen.

Er was besloten dat ik in de rechtbankgevangenis hoorde, waarvoor ik over het plein moest worden vervoerd naar het grote, stenen gebouw. Vier bewakers liepen met me mee om me te behoeden
voor een moordaanslag, zeiden ze. Haat de hele wereld me opeens?

Ik ben ze nog steeds dankbaar voor deze overplaatsing. Want
als een geest dook hij op: Astil. Vanuit het niets, vlug en vastberaden. Twee bewakingsvarkens grepen hem vast, maar toch wist hij
zich naar mij toe te worstelen. 'Drozier,' zei hij alleen toen hij mijn
hand greep. 'Drozier.' De blik in zijn ogen gaf me meer tederheid
dan ik ooit nodig zou hebben.

Hij wist nog weg te komen ook. Of ze lieten hem gaan; misschien hebben sommige mensen toch nog een hart.

Toen ik in mijn nieuwe onderkomen was aangekomen en
alleen werd gelaten, durfde ik pas in mijn hand te kijken.

Astil had kans gezien me een armband te geven van gevloch-
ten leren veters, doortrokken met echt zilverdraad. Er hangt een
druppelvormige hanger aan; een traan van Mone-Dauns zeedraak. Op de ene kant heeft Astil de letter D geborduurd. Aan de
andere kant staat zijn A.

Ik viel er snikkend mee in slaap.

33

Door Meditatio Nocturna was iedere Mone-Daunenzer direct geconfronteerd met de borduurder en zijn mysterieuze missie. De inwoners van de stad waren verontwaardigd en vooral bang na de ruim vier uur durende stroomstoring, die tot grote chaos in de stad had geleid.

Woningen, winkels, restaurants, ziekenhuizen en het vliegveld hadden zonder stroom gezeten. Vanwege het uitvallen van de verkeerslichten waren er overal kleine ongelukken gebeurd. Honderden reizigers moesten uit de ondergronds vastgelopen metrotreinen worden bevrijd, tientallen mensen hadden uren opgesloten gezeten in liften. Alle telefoonlijnen hadden platgelegen. En dat alles tijdens een van de koudste avonden van het jaar.

Men voelde zich slecht beschermd en in de steek gelaten door het stadsbestuur. Er rezen kritische vragen, om te beginnen over de beveiliging van de grootste elektriciteitscentrale van de stad. Op beelden van bewakingscamera's was een gemaskerde man te zien die ongestoord de centrale binnendrong, brand en kortsluiting veroorzaakte, met een schroevendraaier 20-01-1539 op een deur kraste en weer verdween. Men vroeg zich af hoe het mogelijk was dat iemand zo gemakkelijk een dergelijke aanslag kon plegen. Maar ook wilde men weten waarom het zo lang geduurd had voor de stroomstoring werd verholpen en of dat soms kwam doordat de hulpdiensten niet genoeg voorbereid waren op dergelijke situaties. Burgermeester Badin noemde de aanslag 'een daad van een nietsontziende misdadiger' en 'een tik op de neus van de overheid'. Er zou een diepgaand onderzoek volgen.

Om vijf voor elf op donderdagochtend zoemde de telefoon op de vijfendertigste verdieping van Andama's gebouw. Madhu zat aan de grote tafel in de woonkamer nog eens alle dossiers over de borduurzaak door te nemen. Hij hoorde hoe Andama opnam in de gang: 'Met Andama. Ja? Ja. Maar met wie spreek ik? Goed. Ja. Ja, die is hier. Een ogenblik alstublieft.' Andama kwam de woonkamer in lopen. 'Madhu, het is voor jou. Een man die meent dat zijn naam er niet toe doet.'

Madhu sprong op. 'Zal ik naar de gang gaan?'

'Neem hem daar maar.' Andama wees naar het toestel bij de bank en liep de kamer uit.

Madhu pakte op.

'Hallo, Madhu? Met mij. Noem mijn naam maar niet. Hoor je wie ik ben?'

'Ja, ik hoor het.' Madhu herkende de stem van Olmander. Hij klonk bedrukt.

'We hebben hier weer een brief ontvangen. Vanochtend vroeg.'

'Van de b…?'

'Ja.'

'Wat stond erin?'

'Luistert er niemand met ons mee?'

'Ik denk het niet, maar ik zal het voor de zekerheid even nagaan. Wacht even. Meneer Firi?' riep Madhu.

Andama's stem klonk galmend vanuit de badkamer: 'Ja?'

'U luistert toch niet mee?'

'Nee, nee. Ik stap net in bad.'

'Goed, dank u wel,' riep Madhu terug. Hij zette de hoorn weer aan zijn mond. 'U hoort het, meneer Andama gaat in bad. Verder is er hier niemand. Wat stond er in de brief?'

'Een paar dingen. Om te beginnen stuurde hij een uitnodiging, een eis beter gezegd. Hij vraagt of we in de nacht van vrijdag op zaterdag naar het Stadsplein komen.'

'De twintigste, de dag van Droziers verbranding.'

'Ja.'

'Wat stond er precies in die uitnodiging?'

'Ik zal het je voorlezen: *Ik eis dat de Orde der Bestendigen, en in het bijzonder degene met het andere deel van bijgesloten perkament, op zaterdag 20 januari om 04.00 uur op het Stadsplein aanwezig is, alwaar de omwenteling zal plaatsvinden. Als er geen gehoor wordt gegeven aan mijn eis, zal dit rampzalige gevolgen hebben voor zowel de Orde als voor de inwoners van Mone-Daun.*'

'Perkament? Wat voor perkament? En wie is degene met een ander deel? Barhennio?'

'In de brief zat een stuk eeuwenoud perkament waarop een gedeelte van de balsemformule stond geschreven. Barhennio had inderdaad de andere helft in een lade liggen. De twee stukken pasten precies in elkaar.'

'Is het een deel van de formule die Drozier ooit stal van Barhennio? Dat zou Barhennio's verhaal bevestigen.'

'De twee stukken vormen samen inderdaad de totale formule voor de balsem. Maar er klopt iets niet aan: de formule is namelijk door iemand anders dan Barhennio geschreven; het is duidelijk een ander handschrift.'

'Misschien in het verleden door Drozier overgeschreven?' opperde Madhu.

'Mogelijk.'

'Maar hoe is Barhennio ooit aan die ene helft van dat perkament gekomen?'

'We weten niets meer zeker. Barhennio's reactie op onze vragen maakte het niet duidelijker.'

'Wat was zijn reactie dan?'

'Zwijgen, weglopen. Hij heeft zich een uur geleden opgesloten in zijn kamer en wil er niet meer uitkomen voor zaterdag. Hij zegt geen zin meer te hebben zich steeds te moeten verdedigen. Een stijfkoppiger iemand heb ik nog nooit ontmoet.'

'En het perkament? De complete formule?'

'Die heeft Barhennio meegenomen.'

'O. En Niboeck, wat zegt hij?'

'Ook hij wil niet meer praten tot de omwenteling. Sommige ordeleden, en bij die groep heb ik me aangesloten, zijn hun vertrouwen in Barhennio nu helemaal verloren; we denken dat hij de formule al die tijd niet volledig in zijn bezit had. Trismegista en Bauzu hebben zelfs uitgesproken dat ze betwijfelen of Barhennio de balsem werkelijk zelf heeft gemaakt.'

Madhu reageerde even niet.

'Er zat trouwens nog een geschreven aanwijzing in de brief.' zei Olmander. 'Van de borduurder, voor ons.'

'Een aanwijzing?'

'Heb je een kaart van Mone-Daun in huis?'

'Ja. Daar maak ik steeds aantekeningen op.'

'Wil je die er even bij pakken?'

'Een momentje.' Madhu liep naar de tafel, waar hij snel vond wat hij nodig had: een grote stadsplattegrond, vol met briefjes, notities en markeringen die te maken hadden met de borduurzaak. 'Waar moet ik naar kijken?'

'Ik neem aan dat je op je kaart hebt aangegeven waar de borduurder allemaal heeft toegeslagen?'

'Natuurlijk. De elektriciteitscentrale als laatste.'

'Mooi zo. De borduurder schreef het volgende: *"Trek op een kaart de grote lijnen tussen de vindplaatsen en ontdek de cruciale letter."*'

'De grote lijnen tussen de vindplaatsen … Zijn er soms andere overeenkomsten tussen de nagespeelde taferelen?' vroeg Madhu. 'Bedoelt hij dat met de grote lijnen?'

'Nee, je moet het heel letterlijk nemen. Trek maar een lijn van de eerste locatie naar de tweede, van de tweede naar de derde, enzovoort. Van Insectatio Innocentiae tot Meditatio Nocturna.'

Madhu griste een stift van het tafeltje waarop de telefoon stond en deed wat Olmander zei. De stift ging piepend over de kaart terwijl hij de vijf punten met elkaar verbond.

'Zie je al wat het is?' vroeg Olmander. 'Herken je de cruciale letter?'

'Is het …? Het is de letter D van Drozier!'

'Ja, zonder twijfel. We kunnen er echt niet omheen dat alles om haar draait.'

'En wat nu?' Madhu kon zijn ogen niet afhouden van de letter die op de kaart was verschenen. Hij voelde een mengeling van bewondering en vrees voor de zorgvuldigheid waarmee de borduurder te werk was gegaan.

'Nog een paar dagen wachten en dan maar doen wat hij van ons vraagt.'

'Is dat wel verstandig?'

'We moeten wel. Die aanslag op de centrale heeft laten zien waartoe hij in staat is. Alle leden zijn het erover eens dat er geen onschuldige slachtoffers mogen vallen. Het is onze zaak, niet die van heel Mone-Daun.'

Olmander haalde een keer diep adem voor hij verder sprak: 'Madhu, ik heb een verzoek. Namens de meerderheid van de ordeleden.'

'Wat voor verzoek?'

'We voelen dat er iets groots staat te gebeuren zaterdag, er sluimert opstand. Velen van ons willen al jaren, al eeuwen af van Barhennio's leiderschap, en deze crisis lijkt een goede aanleiding te worden om hem te onttronen. We zijn bezorgd dat deze nacht grote gevolgen voor de Orde zal hebben, en we zijn bang dat de zaak volledig uit de hand zal lopen.'

'Maar wat denkt u dat ik voor u kan doen?'

'Jij kunt een neutrale, heldere kijk op de situatie geven. We hebben een betrouwbare buitenstaander aan onze zijde nodig. Iemand die de zaak kent. Iemand van nu. En we hoopten dat ... We willen heel graag dat jij met ons meegaat.'

Madhu overwoog wat hem werd gevraagd. Hij bedacht enkele doemscenario's en schatte de aanwezige risico's in als groot. Maar toen dacht hij aan Andama, Mirov, Mosra-Ni en de trouwring.

'Alsjeblieft, Madhu?' drong Olmander aan.

'Op voorwaarde dat ik Mirov en zijn lijfwachten mee mag nemen. Om mijn veiligheid te garanderen.'

'Zodat er nog meer onbestendigen van ons bestaan afweten? Dat kun je niet van ons vragen.'

'Maar wat als u gelijk krijgt en alles uit de hand loopt? Of wat als het uitdraait op een aanslag op Barhennio's leven? Op jullie allemaal? U hebt de uitbeelding van de omwenteling op het wandkleed vast nog wel eens goed bekeken. Als de borduurder dat letterlijk gaat nadoen, kunnen we de twintigste rekenen op een slachtpartij. Ik ben niet onkwetsbaar zoals u.'

'Ik begrijp je. Maar uitgerekend Mirov en zijn drieling? Hoe kunnen we die vertrouwen? Wij kunnen toch ook op jou passen?'

'Niet zoals zij dat kunnen. En u schat ze verkeerd in. Ik verzeker u dat Mirov en de Cambrons zullen zwijgen als ik ze daarom vraag. Dat soort mannen praat niet graag.' Madhu wist dat hij geen valse beloftes deed. Dendessi Mirov zou de geheimen van de Orde respecteren. Net als de ordeleden was Mirov een buitenstaander, die gewend was een groot deel van zijn leven en zijn ware identiteit te verhullen. Mirov was iemand die zelf veel te verbergen had. En de drieling deed simpelweg wat Mirov hen opdroeg.

'Ik zal het moeten overleggen,' zei Olmander. 'Dit kan ik niet alleen beslissen.'

Een uur later belde Olmander alweer terug, met de mededeling dat Madhu toestemming had om Dendessi Mirov en de Cambrons mee te nemen. Van de negen ordeleden die erover hadden gestemd (Alminus Uga was niet stemgerechtigd en Barhennio en Niboeck sloten zich nog steeds op in hun kamers) waren vier leden tegen en vijf leden voor geweest.

Meteen hierna belde Madhu met Mirov om hem eerst op zijn vaders graf te laten beloven dat noch hij, noch zijn drie lijfwachten ooit iets naar buiten zouden brengen over wat Madhu hem zou vertellen. Na deze belofte spraken ze opnieuw voor een lunch af in La Kela Flush. Tijdens deze maaltijd vertelde Madhu Mirov uitsluitend het hoognodige over de borduurzaak en vroeg hij hem om zijn bescherming. En precies zoals Madhu al verwachtte, zegde Mirov zijn onvoorwaardelijke hulp toe en leek hij niet bijzonder onder de indruk van wat hij te horen kreeg.

'Het is ergens wel een boeiend verhaal,' antwoordde Mirov toen Madhu was uitgepraat en hij hem vlak voor het nagerecht om een reactie vroeg. 'En ik zie best in dat zoiets nieuwswaarde heeft. Maar de Cambrons en ik zijn alleen geïnteresseerd in het redden van mijn huwelijk, niet in het verspreiden van praatjes over een groepje onsterfelijke middeleeuwers dat wordt lastiggevallen door iemand die van borduren houdt. Je kunt er heel, heel zeker van zijn dat niemand jou zaterdag iets aan zal doen. Niet als wij op je passen. En laten we voor die handwerkfanaat hopen dat hij zo verstandig is geweest om Mosra's steen netjes te bewaren. Want anders loopt die omwenteling in ieder geval voor één persoon niet goed af.'

XIV

Zondag 19 januari 1539, avond

Ik heb net mijn laatste maaltijd gegeten: waterige, koude soep en een homp brood. Hoort een galgenmaal niet lekker te zijn?

Nog twaalf uur wachten op mijn executie. De dood op de brandstapel.

Afgelopen vrijdag was mijn belachelijke proces, waarbij ik niet eens de kans kreeg om me te verdedigen. Toen Barhennio de rechtszaal binnen kwam lopen, leek hij even te schrikken van mijn gezicht, dat ondanks mijn genezend vermogen nog niet helemaal was hersteld van Niboecks wrede ondervragingen en sadistische spelletjes. Ik heb maar eens breed naar mijn meester gelachen, zodat hij ook mijn kapotte gebit zag. Tanden worden trouwens niet door mijn nieuwe afweersysteem hersteld; wat dat betreft zou er nog wat aan de formule moeten worden gesleuteld.

Er was grondig werk geleverd met het aandragen van bewijzen. De eerste verklaring kwam van de linkerburen, die voor de rechtbank zwoeren dat ze mij een maand geleden in 'schichtige toestand', op straat waren tegengekomen met twee zwarte kippen. Deze dieren zou ik hebben gebruikt voor 'een duivelse rite'.

Allemaal onzin. Om te beginnen waren het een bruine en een grijze kip. En ik gebruikte ze voor iemand anders dan de duivel. Ik weet nog goed dat Barhennio zich dagen heeft volgepropt met de pasteitjes en de soep die ik bereidde met het vlees van deze beesten. En omdat het schemerde en de buren mij zo goed als besprongen vanuit het donkere steegje dat uitkomt op onze straat, was ik inderdaad behoorlijk schrikachtig toen we elkaar ontmoetten. Maar mijn versie van het verhaal werd niet gehoord.

De tweede getuigenis kwam van Astils moeder, Halmo's weduwe. Ze zei dat ze haar zoon, mijn liefste, thuis had opgesloten. Zodat hij niet verder in de ban kon raken van mijn duivelskunsten. Haar stem was hysterisch hoog toen zij me de dood van haar man in mijn schoenen schoof. 'Die helleveeg heeft Halmo vernietigd,' riep ze. 'Ze heeft hem gek gemaakt en de dood in gedreven!'

Niboeck knikte haar bemoedigend toe en stelde sturende vragen wanneer het duidelijk van te voren ingestudeerde verhaal even vastliep: 'Dus u zegt dat ze uw man heeft behekst, zodat ze uw zoon kon inpalmen. Waarom denkt u dat ze dat heeft gedaan?'

'Omdat mijn man haar niet moest. Hij wilde natuurlijk niet dat onze Astil omging met de dochter van een heks. Ze heeft hem vermoord, zodat ze bij onze zoon kon komen.'

'Duidelijk. Hm, hm,' knikte Niboeck dan. 'En uw zoon Astil is natuurlijk erfgenaam van het bloeiende leder- en bontatelier dat uw man achterliet. Denkt u dat de motieven van de jonge vrouw die hier terechtstaat van economische aard waren? Denkt u dat ze uit was op geld? Aanzien misschien ook?'

'Ja, natuurlijk was ze daar op uit, dat duivelse bastaardkind!' Het publiek loeide en Astils moeder leek bijna te genieten van de aandacht die ze kreeg. 'Ze wist dat mijn Astil de werkplaats zou erven. Ze wilde zich in het atelier trouwen!'

'De dood van een eerlijke ambachtsman, de walgelijke verleiding en beheksing van een onschuldige jongen … Een laffe greep naar een betere toekomst.' Niboeck keek naar me alsof ik vuiler was dan de inhoud van de emmer in zijn kleine kamer. Ik was blij te horen dat Astil in elk geval nergens van verdacht werd.

Het slotstuk van de komedie werd opgevoerd door mijn mees-
ter. Om te beginnen presenteerde hij zielige verzinsels over hoe
hij achter mijn dubbele bestaan was gekomen, hoe hij mij zoge-
naamd had ontmaskerd. Hij vertelde dat hij formules miste, waar-
naar hij was gaan zoeken tussen mijn persoonlijke spullen. En
natuurlijk had hij ze daar gevonden.

Ook kwam hij aan met een tekening die ik gemaakt zou heb-
ben om Halmo te beheksen en de dood mee in te drijven. Centraal
in de afbeelding stond er een klunzig figuurtje (hadden ze soms
een kind van drie gevraagd om deze tekening te maken?) waarbij
het woordje 'Halmo' stond. Daaromheen waren allerlei duistere
en hekserige dingen gekrabbeld: vuur, spinnen, slangen, botten,
doodshoofden, bliksem. Ik vond het een belachelijk plaatje, maar
alle mensen in de rechtszaal vonden het erg griezelig.

Aan het einde van de zitting vroeg de rechter nog naar mijn
kant van het verhaal, maar het aanwezige publiek was toen zo op
me aan het schelden dat mijn ontkennende woorden minutenlang
niet verstaanbaar waren. Op het moment dat de zaal tot stilte was
gemaand, was ik te verdrietig en vooral te verbijsterd om nog iets
uit te brengen.

Dendessi Mirov rommelde in het bovenmaatse hand-schoenenvak van de Ridelo Excellence en vond tussen de zonne-brillen, papieren en zakjes snoep wat hij zocht.

'Nog een? Verwacht u zulk zwaar weer, meneer?' vroeg Tatlo, die naast Mirov aan het stuur zat en keek naar de grote, glanzende revolver die zijn baas tevoorschijn haalde.

'Dit noem ik het zekere voor het onzekere nemen,' zei Mirov. Hij gaf een draai aan de cilinder en liet hem een paar keer tik-kend rondgaan.

'Daar is inderdaad niets op tegen, meneer.'

Madhu zat achterin en keek naar de voorbijglijdende gevels. De afgelopen uren was het geweest of hij naar een film zat te kijken waarin hij zichzelf speelde, bijna alsof iemand anders die avond alle voorbereidingen had getroffen om 's nachts op pad te gaan.

Maar nu opeens drong het tot Madhu door dat hij toch echt zelf twintig minuten geleden in deze auto vol bewapen-de mannen was gestapt. Mannen die ondanks hun dagelijk-se ervaring met risico en geweld duidelijk gespannen waren over de ontmoeting met de ongrijpbare borduurder.

Het was werkelijkheid, en Madhu deed zijn uiterste best om kalm te blijven en vooral niet te denken aan wat zijn oom Ranga hiervan zou vinden.

Ze waren er bijna. Madhu herkende de omgeving en dacht te weten dat ze rechtsaf moesten om bij het plein te komen.

En inderdaad; Tatlo zette zijn richtingaanwijzer aan, voegde in bij een stoplicht, wachtte tot het licht op groen sprong en reed een steeg in. Aan het einde was het Stadsplein te zien.

'Hier is een plek,' zei Mirov.

De Ridelo kwam slippend tot stilstand en Tatlo parkeerde de auto tussen een vrachtauto en een kleine bruine personenauto.

Mirov keerde zich om naar de achterbank, waar Lenolo en Paslo links en rechts van Madhu zaten. Hij keek ernstig. 'We gaan vannacht doen wat gedaan moet worden. Ik wil morgen gezond wakker worden en tevreden aan mijn late ontbijt beginnen.'

'Begrepen, meneer Mirov,' antwoordden de broers.

'En jij,' Mirov wees naar Paslo, 'jij wijkt geen seconde van Madhu's zijde. Wat er ook gebeurt.'

'Ik zal aan hem kleven als een schaduw, meneer,' zei Paslo.

'De steen en onze veiligheid. Daar draait het om,' zei Mirov. 'De rest is van minder belang. We gaan.'

De broers zetten hun kragen op, stapten uit en hielden de deur open voor Madhu en Mirov.

Met zijn vijven liepen ze de steeg uit en het plein op.

Er was nog niemand te bekennen. Het beetje licht van de lantaarns kon de nacht niet bedwingen, spiedende schaduwen hielden overal de wacht.

'Zeventien voor vier. We zijn de eersten,' zei Mirov. Hij begon rechtdoor te lopen.

'Eerlijk gezegd weet ik bijna zeker dat we daar moeten zijn,' zei Madhu, wijzend naar het Stalen Slot aan hun rechterkant.

Hij had er uitvoerig over nagedacht waar de borduurder zijn laatste slag zou slaan en was tot de conclusie gekomen dat het Slot de meest waarschijnlijke locatie was. Dit middeleeuwse bouwwerk was de achtergrond geweest van Droziers terechtstelling en bovendien stond het ook in het midden van het wandkleed afgebeeld, bij Mutatio Rerum, het tafereel van vannacht.

'Waarom in die donkere uithoek?' vroeg Mirov. 'Ik wacht liever midden op het plein. Bij die opslagschuurtjes voor de markt. Daar hebben we veel meer overzicht.'

'En daarbij meer dekking,' vulde Lenolo zijn baas aan.

'Nee, meneer Mirov, we moeten die kant uit. Ik zie het al.' Madhu pakte Mirovs arm beet. 'Kijk eens wat er aan die steigers hangt.'

Mirov tuurde. 'Bedoel je die vlaggetjes?'

'Ja, gele vlaggetjes. Die komen ook voor in het tafereel van de omwenteling. Ik ben hier gisteren nog met Marrus geweest om rond te kijken, en ik weet zeker dat die vlaggetjes er toen nog niet hingen.'

'Een officiële uitnodiging van de borduurder,' zei Mirov. 'Goed gezien, meneer Mahavir.'

Ze hadden zich net met zijn vijven voor het Stalen Slot opgesteld, toen er gedempte stemmen over het plein klonken.

'Daar zul je ze hebben,' zei Mirov. Madhu volgde Mirovs blik naar de overdekte loopbrug, waar een groot gezelschap de trap afkwam. Dicht op elkaar en schichtig rondkijkend schuifelden de twaalf ordeleden het plein op.

Madhu stak zijn hand op, waarna de groep hun kant op kwam en zich aarzelend bij hen voegde. Er werd over en weer wat gemompeld en gedag geknikt, maar tot een echte kennismaking tussen de ordeleden en het kamp van Mirov kwam het niet. De sfeer was ongemakkelijk.

Olmander kwam naast Madhu staan en zei zacht: 'Bedankt voor je komst. Iedereen is op van de zenuwen. Vooral Barhennio.'

'Maar wie is toch die Banhernio?' vroeg Mirov, die hoorde wat Olmander zei. Mirov keek de groep rond en verhief zijn stem. 'Wie van u is Banhernio?'

'Meneer Mirov, misschien moeten we daar maar even mee wachten,' zei Madhu, die zag hoe Barhennio het liefst ter plekke onzichtbaar wilde worden.

Mirov negeerde Madhu. 'Bent u dat soms?' Hij keek Civitato aan. 'Bent u de baas hier?'

'Ik?' Civitato deed een stapje naar achteren. 'Nee, ik ben iemand anders. Ik ben een … markies.'

'Een markies? Dat is ook aardig, maar die zoek ik nu even niet. Ik zoek het nog hogerop.' Mirov had weer de spottende ondertoon in zijn stem die Madhu inmiddels wel kende. 'Vertel eens, wie is de baas van dit gezelschap?'

'Ik. Dat ben ik,' klonk Barhennio's stem.

'Dus u bent Banhernio. De leider.'

'Barhennio. Ja.'

'Neemt u mij niet kwalijk, Barhennio. Kunt u mij vertellen wat er nu precies aan de hand is? Waarom staan wij hier met zijn allen kou te lijden?'

'Ik … daar … daar zullen we zo wel achterkomen.' Barhennio keek op zijn horloge en naar de grond. 'Dat weten we niet.'

'Maar u hebt als leider toch wel enig idee van wat er speelt? Ik begreep dat de zaak vooral om u draait.'

Barhennio zei niets terug.

'Weet u wat ik dacht toen deze jongen mij vertelde wat er deze nacht mogelijk gaat gebeuren?' Mirov legde zijn hand even op Madhu's schouder. 'Ik dacht meteen: die Barhennio heeft iemand ooit iets heel vervelends aangedaan en daar krijgt hij nu de rekening voor gepresenteerd.'

'O ja?' Barhennio slikte. 'Dacht u dat?'

'Ja, en nu ik u zie, denk ik dat nog sterker.' Mirov bleef Barhennio indringend aankijken. 'Ik zie in uw ogen dat u iets verbergt.'

Madhu was met stomheid geslagen. Hij voelde zich enerzijds vreselijk opgelaten door het gedrag van Mirov. Maar anderzijds had hij ook begrip, zelfs waardering voor deze confronterende woorden. Mirovs conclusies waren bot maar pijnlijk treffend. Aan de gezichten van Olmander, Trismegista, Sarlemijn en Bauzu was te zien dat ze hetzelfde dachten.

'U bemoeit zich met zaken die u niets aangaan. Over deze dingen zou u niets moeten weten,' sprak Niboeck. Hij veegde weer onophoudelijk zijn haarlok opzij. 'Madhu heeft ons beloofd dat hij niemand iets over ons zou vertellen. Het kwetst ons dat hij zich niet aan zijn afspraken heeft gehouden.'

'Laat maar, laat maar,' zei Mirov tegen Lenolo, die aanstalten maakte om Niboeck de mond te snoeren. 'Even voor de goede orde: Madhu treft geen enkel verwijt. Hij heeft mij nauwelijks iets over u verteld. Wat ik net over Barhennio zei, is hoofdzakelijk gebaseerd op gevoel en mensenkennis, niet zozeer op feiten. En daarnaast heeft Madhu mij plechtig laten beloven dat ik niets over uw organisatie en uw huidige problemen naar buiten zou brengen. En als ik iets beloof, dan gebeurt dat.'

'Goed,' zei Niboeck. 'Dan is dat in ieder geval duidelijk.'

'Maar,' Mirov hief bezwerend zijn rechterwijsvinger op. 'U hebt niet het recht te zeggen dat ik niets met uw zaken te maken heb. Ik ben namelijk in hoge mate gedupeerd door de acties van de borduurder, die weer een vijand is van Barhennio, uw leider.' Mirov prikte nu met dezelfde wijsvinger in Niboecks borst. 'Nu ik dankzij een vroegere misstap van uw leider mijn diamant kwijt ben en op het punt sta mijn verloofde kwijt te raken, heb ik alle reden om me hiermee te bemoeien. Je zou zelfs kunnen zeggen dat *u* direct schuldig bent aan *mijn* problemen.'

Er volgde een beklemmende stilte op Mirovs strenge woorden.

Madhu durfde niemand aan te kijken.

'Zo te horen ben ik niet de enige die vertoornd is,' klonk opeens een mannenstem die van boven leek te komen. 'Goed dat ik tijdig vernam dat de heren Mahavir en Mirov de omwenteling ook zouden bijwonen. Hun ongerief wordt in ieder geval meteen verzacht.' Iedereen keek omhoog en zag hoe iemand langs de steigers naar beneden klom.

Vlak voor hij een voet op de grond zette, hadden Tatlo en Lenolo de man al vastgepakt en een arm op zijn rug gedraaid. De ordeleden verdrongen elkaar om te zien wie het was, maar de man droeg een capuchon en werd door de Cambrons zo ver voorover gehouden dat er niets van zijn gezicht te zien was.

'Ben jij de borduurder?' vroeg Mirov.

'Ik ben de pers niet dankbaar voor deze weinig flatterende bijnaam. Iets als "de vergelder" of "de vereffenaar" had mij beter gepast. Maar inderdaad, ik ben degene die men de borduurder noemt. Heren, alstublieft,' zei de man nu tegen Tatlo en Lenolo, die hun greep na de bekentenis verstevigden. 'Zo geeft u mij geen kans om datgene uit mijn tas te pakken waarnaar uw baas zo verlangt.'

'Wil je zeggen dat jij mijn steen hebt?' vroeg Mirov. 'Bij je?'

'Jazeker, heer, hier in mijn tas. Als uw lijfgarde het ontwrichten van mijn schouder staakt, kan ik hem aan u teruggeven.'

'Wacht, dit klopt helemaal niet,' zei Madhu. 'Hoe kon hij nu weten dat wij hier ook zouden zijn?'

'De afgelopen weken heb ik alle telefoongesprekken afgeluisterd die vanuit de boerderij van de ordeleden werden gevoerd,' antwoordde de man. 'Zo kwam ik er een paar dagen geleden achter dat u beiden vannacht present zou zijn. Het leek me niet meer dan fatsoenlijk om mijnheer Mirov de steen terug te geven en zo ook u, Madhu Mahavir, en uw kompaan Andama uit de moeilijkheden te helpen. Uit de kranten begreep ik dat de zaak Andama versus Mirov hoog aan het oplopen was.'

Mirov keek vragend naar Madhu, die ook niet wist wat hij van deze vreemde figuur en zijn verklaringen moest denken, en zijn schouders ophaalde.

'Laat een arm los, zodat hij bij zijn tas kan,' zei Mirov tegen de twee Cambrons.

'Dank u,' zei de man, nog steeds half voorovergebogen. Zijn rechterarm verdween in zijn schoudertas. 'Kijkt u eens. En mijn oprechte excuses voor de overlast,' zei hij toen hij een donkerbruin, houten kistje tevoorschijn haalde en dit aan Mirov gaf.

'Kijk nu toch,' fluisterde Mirov. Hij maakte het slotje open en tilde voorzichtig de deksel op. Er verscheen een glimlach op zijn gezicht toen hij de inhoud zag.

'Is het de steen, meneer Mirov?' vroeg Lenolo. 'Hebben we hem?'

'Ik denk van wel ...' Hij vouwde een papier open dat ook in het kistje zat. 'Ja, dit is het certificaat.' Het lijkt erop dat Firi en ik weer op goede voet verder kunnen.' Mirov zuchtte opgelucht. 'En wat is dit voor sleutel?' Hij hield een sleutel met een geel kaartje eraan omhoog.

'Ah. Dat is van de automobiel waarin de overige handelswaar staat die ik van de heer Andama heb ontvreemd,' antwoordde de man tussen Tatlo en Lenolo. 'Op het kaartje staat het adres van de parkeergarage waarin dat voertuig geparkeerd staat. Misschien kunt u deze sleutel aan de heer Mahavir overhandigen.'

'Kijk eens, jongen,' zei Mirov, de sleutel in Madhu's handen drukkend.

'Nu deze kwestie achter de rug is, zou ik graag verder gaan met datgene waarvoor ik hier daadwerkelijk ben gekomen.' De stem van de man werd lager. 'Ik wil Barhennio spreken.'

'Zet hem rechtop. En haal die capuchon van zijn hoofd,' beval Mirov zijn lijfwachten.

In het gele licht van de lantaarnpalen werd het gezicht van de man zichtbaar. Hij had een donkere stoppelbaard, halflang haar en diepblauwe ogen.

Barhennio deed onmiddellijk een stap achteruit.

'Het doet me goed dat je me nog niet bent vergeten, Barhennio van Stellon.'

'Jij. Je stem,' zei Barhennio en zijn adem stokte. 'Ik dacht al dat ik je stem herkende. Maar jij kunt het niet zijn.'

'En toch is het zo, Barhennio. Ik ben gekomen voor bestraffing van jouw misdaad, voor mijn laatste belofte aan Drozier.' De man zuchtte diep. 'Wat is het wonderlijk om eindelijk oog in oog met jou te staan. Zo lang heb ik je ontlopen. Eeuwen was ik op de vlucht voor jou en voor de haat die je in me naar boven hebt gebracht. Op de vlucht voor mijn taak. Maar gaandeweg realiseerde ik me dat ook mijn krachten me langzaam maar zeker aan het verlaten zijn en dat zelfs ik niet eeuwig te leven heb. Ik wist dat er pas rust zou zijn wanneer alles was afgehandeld. Het was tijd. En vanaf dat moment ben ik steeds bij je in de buurt geweest; voortdurend heb ik je achtervolgd, bestudeerd en vervloekt. Maar toch heb ik je sinds 1539 niet meer recht in de ogen gekeken.'

'Hou hem vast,' riep Barhennio tegen Lenolo en Tatlo. 'Laat ze deze gek goed vasthouden,' zei hij tegen Mirov.

'Wie ben jij toch ook alweer?' vroeg Niboeck. Hij deed een stap naar voren. 'Ik heb jou eerder gezien.'

'Natuurlijk heb jij mij eerder gezien, Niboeck,' antwoordde de man. 'Lang geleden. Laat me je een aanwijzing geven: jij hebt ooit mijn vaders gebroken heup behandeld met een kruidenkompres dat wij niet konden betalen, waarna jij vond dat je het recht had verworven om mijn moeder te betasten. In mijn bijzijn.'

'Halmo. Jij bent Halmo's zoon.' Niboecks gezicht bevroor.

'Heel goed. Je kwakzalverij en je deerniswekkende avances tegenover mijn moeder heb ik je inmiddels wel vergeven. Maar de manier waarop je mijn enige liefde hebt mishandeld en vernederd is mijn woede blijven aanwakkeren.'

'Halmo? Was dat niet Barhennio's vroegere overbuurman?' zei Maurall. 'Hoe heette jij ook alweer, At … As…?'

'Astil. Hij heet Astil,' zei Barhennio. 'Hij was bevriend met die dievegge Drozier.'

Astil rukte zich los uit de greep van de Cambrons en werkte voor iemand kon ingrijpen Barhennio tegen de grond.

Razend van woede sloeg hij in op Barhennio's gezicht, hals en borst. Het geluid van vuistslagen werd eerst nog beantwoord met gedempte kreten, maar na enkele seconden maakte Barhennio geen geluid meer.

'Laat hem ophouden,' riep Madhu tegen Tatlo, die met enige moeite Astil van Barhennio aan het afhalen was.

'Snel, Tatlo. Hij vermoordt hem nog,' zei Mirov.

'Dat lukt hem niet met zijn blote vuisten,' zei Sarlemijn nuchter. 'Ook al laat je hem de hele nacht slaan.'

'Hé!' schreeuwde Tatlo toen hij de wild kronkelende Astil eindelijk van de grond tilde. 'Stoppen.' Lenolo gaf Astil een geweldige stomp in zijn buik en keek aansluitend verbijsterd toen hij merkte hoe weinig effect dat had.

'Drozier deed alles voor je, en jij hebt haar verraden!' Astils stem was schel. 'Dat net jij haar van diefstal beschuldigt.'

'Waar heeft hij het over?' vroeg Cogluas, die Barhennio hielp opstaan. 'Wat betekent die opmerking, Barhennio?'

'Weet ik veel. Die jongen is krankzinnig,' zei Barhennio. Hij tastte zijn gezicht af, dat alweer helemaal was hersteld van Astils vuistslagen.

'Krankzinnig? Verklaar jij dan eens hoe het mogelijk is dat ik nog leef,' beet Astil hem toe.

'Barhennio?' Trismegista ging voor Barhennio staan. 'Waarom weten wij niet van het bestaan van nog een bestendige? Hoe kan dit?'

'Dacht jij dat ik hiervan wist?' riep Barhennio. 'Allemachtig, voor mij is dit ook een volslagen verrassing. Ik wist niet beter of hij was meteen na Droziers proces uit Mone-Daun verdwenen. Deze jongen is waarschijnlijk ook een dief, net als mijn leerling.'

'Ik heb niets gestolen. Net zo min als Drozier dat deed.'
Astil leek weer gekalmeerd. 'Ik kreeg de balsem van Drozier,
op de dag dat zij hem fabriceerde. Want in tegenstelling tot
jou heeft Drozier het wel voor elkaar gekregen.'

Toen barstte de bom.

'Zie je wel,' siste Trismegista. Ze keek rond, haar ogen schoten vuur. 'We hebben het toch altijd al gezegd? We zeiden toch
dat het allemaal niet klopte?'

'Als deze Astil de waarheid spreekt, verandert alles,' zei
Olmander. 'Als het waar is dat Drozier de balsem heeft gemaakt,
dan kan hij,' Olmander wees nu naar Barhennio, 'volgens onze
statuten geen enkele aanspraak op het leiderschap maken.'

'Dat zou zelfs betekenen dat hij altijd ten onrechte aan het
hoofd van onze Orde heeft gestaan,' zei Bauzu.

Madhu was met stomheid geslagen. Eerst de onthulling
van een dertiende bestendige, dan de borduurder die de vroegere geliefde van de leerling Drozier bleek te zijn. En nu dit.

'Jullie moesten je schamen,' zei Barhennio, zijn autoritaire toon en lichaamshouding hervindend. 'Dat jullie dit geloven. Dit is degene die onze Orde te gronde probeert te richten.' Barhennio was vlak bij Astil gaan staan en schreeuwde in
zijn gezicht. 'Je bent een smerige leugenaar. En een stoker.' Hij
draaide zich weer om naar de anderen. 'Zien jullie dan niet wat
hij aan het doen is?'

Als Lenolo en Tatlo Astil niet zo goed vast hadden gehad,
was hij Barhennio zeker opnieuw aangevlogen. 'Alstublieft,
laat mij los. Dit kunt u mij toch niet aandoen,' smeekte Astil.
'Heer Mirov, schenk mij de vrijheid, zodat ik mijn taak kan
volbrengen. Ik heb zoveel werk verzet om dit te bereiken.'

Mirov keek scherp naar Astil. 'Ik weet niet wat jullie ervan denken, maar ik heb meer mensen zien liegen dan me lief is. En ik moet me wel heel erg vergissen als deze jongen niet de waarheid spreekt. Ik sta op het punt mijn mannen te zeggen dat ze hem moeten loslaten.'

'Als je dat maar uit je hoofd laat,' zei Barhennio.

'De Cambrons zijn hier om mij en Madhu te beschermen, Barhennio. Niet jou.' Mirovs blik was kouder dan de sneeuw onder zijn voeten. 'Ik raad je aan een andere toon tegen mij aan te slaan, want mijn leider ben je al helemaal nooit geweest.'

De oude Cogluas stapte naar voren. 'Alstublieft, meneer Mirov,' zei hij met zijn hese stem. 'Wij stellen uw hulp en aanwezigheid zeer op prijs. Maar alstublieft, laat u uw mannen Astil nog even vasthouden. Vergeet niet dat hij uw diamant heeft gestolen en de stad in groot gevaar heeft gebracht. Ik denk dat het verstandig is om hem eerst nog even een paar vragen te stellen.'

'Dat klinkt redelijk,' zei Mirov. 'Ik geef u vijf minuten. Ga uw gang.'

'Wat is dit? Beleggen we nu opeens een openbare vergadering?' zei Barhennio. 'Cogluas, laten we blij zijn dat we eindelijk de gezamenlijke vijand hebben gevonden en verder kunnen met onze interne problemen.'

'Ik ben alleen jouw vijand, Barhennio. De rest van de Orde zal me waarschijnlijk dankbaar zijn voor het blootleggen van jouw leugens,' zei Astil.

'Barhennio van Stellon en Astil,' zei Cogluas. 'Ik verbied jullie beiden nog een woord te spreken, behalve wanneer ik jullie iets vraag. Ik wil de volledige waarheid nu boven water halen.'

Barhennio en Astil zwegen, net als de rest onder de indruk van het doortastende optreden van de ordeoudste.

Cogluas richtte zich tot Astil. 'Dus jij beweert dat niet Barhennio maar Drozier de formule voor de balsem heeft gemaakt?'

'Ja. U hebt toch het stuk perkament bestudeerd dat ik u opstuurde? Dat is Droziers handschrift. Dat is de formule die zij gebruikte bij het fabriceren van de balsem,' antwoordde Astil.

'Dit is met de minuut bespottelijker aan het worden,' riep Barhennio ertussendoor. 'Een surrealistisch toneelstuk. Dat er een formule in Droziers handschrift bestaat, betekent toch niet dat zij het heeft bedacht? Ze was mijn assistente, ik vertrouwde haar al mijn werk en ideeën toe. Blijkbaar heeft ze de formule vlak nadat ik de balsem maakte een keer overgeschreven, de balsem zelf nagemaakt en haar vriendje er ook wat van gegeven. Ik kan niets anders verzinnen. Gelukkig heeft Astil uiteindelijk maar de helft van de formule in handen weten te krijgen. Anders waren er nu twee mensen in de wereld die weten hoe je de balsem moet maken.'

'Maar hoe kwam jij dan aan het andere deel van de formule die Drozier schreef?' vroeg Cogluas aan Barhennio. 'En waarom zou je juist dat perkament van háár bewaren? Je kent de formule zelf toch ook, heb je altijd beweerd?'

'Dat stuk perkament heb ik op een avond, lang geleden, tussen haar spullen gevonden, samen met andere dingen die ze van me gestolen had. En waarom ik het bewaard heb? Ja, uit een soort sentiment, denk ik.'

'Sentiment? Ik heb niet de indruk dat jij in staat bent tot andere emoties dan liefde voor jezelf,' zei Astil. 'Wel moet ik zeggen dat jij je onwaarheden goed op een rij hebt. Vanzelfsprekend ook, want je hebt er heel wat jaren over kunnen nadenken. Maar je weet natuurlijk niet dat ik erbij was op de dag dat Drozier voor de eerste en laatste keer de balsem maakte. Jazeker. Ik moest de voordeur in de gaten houden, voor het geval jij onverwachts thuis zou komen terwijl Drozier in jouw kelder aan de balsem werkte. Op een gegeven moment hoorde ik Drozier om hulp schreeuwen, en klonk er allemaal glasgerinkel. Ik rende naar beneden en trof haar buiten bewustzijn aan, hevig bloedend en met stukken glas in haar lijf. In haar rode, betraande linkeroog zag ik sporen van de balsem. Ik zat een paar minuten met haar in mijn armen, radeloos, totdat het bloeden ophield. Eerst dacht ik dat ze dood was, leeggebloed, maar dat was niet zo. Nee, er voltrok zich een wonder: Drozier, mijn geliefde Drozier, genas. Het was het mooiste dat ik ooit heb gezien. Wonden trokken dicht, haar gehavende lijf kwam weer tot leven – welnu, u kent allen dat fenomeen. En toen ik eenmaal doorhad wat ze had volbracht, besloot ik in een opwelling ook wat balsem in mijn ogen te smeren. Drozier heeft nooit geweten dat ik mezelf die dag ook tot een schier eindeloos leven veroordeelde.'

De aanwezigen luisterden zo aandachtig naar Astil dat ze niet zagen hoe Barhennio's gezicht wit wegtrok.

'Niet lang nadat Drozier weer bijkwam, arriveerde jij en vluchtte ik door het keldergat. Het lijdt geen twijfel dat je razend werd toen je ontdekte dat jouw leerling de balsem had gemaakt, terwijl het jou zelf niet was gelukt. Drozier vertelde me altijd al dat je bevreesd was dat mensen zouden denken dat jij niet in staat zou zijn de balsem ook werkelijk te vervaardigen. Je wilde de enige zijn die aanspraak kon maken op de uitvinding, en daarmee op het leiderschap van de Orde. Verdachtmaking van hekserij en diefstal was jouw laaghartige manier om van Drozier af te komen, jouw laatste redmiddel.'

Madhu slikte en keek naar Barhennio. Zoals hij hem daar zag staan, met zijn grijzende baardje en afhangende schouders, zou Madhu hem nooit verdacht hebben van zoveel valsheid. Wel zag hij er anders uit dan zojuist, vond Madhu. Onrustiger. Verward. Als een gewond, opgejaagd dier.

De rest staarde ook naar Barhennio.

'Wat moet ik zeggen?' zei hij uiteindelijk met een onaangenaam harde stem. 'Ik maakte de balsem. Drozier was een dief en jij bent een profiteur. Jij vertelt simpelweg niet de waarheid. En daarmee is het verhaal uit.'

Astil schudde zijn hoofd. 'Je bent nog meelijwekkender dan ik dacht.'

'Ik kan niet verder zo, Barhennio. Ik vertrouw je niet meer,' zei Trismegista. 'En ik denk dat ik niet de enige ben.'

Sommigen stemden in. Anderen zuchtten nerveus, vrezend voor verandering. Waarheden en gebruiken waarop deze Orde eeuwen had gesteund, waren binnen een paar minuten aan het wankelen gebracht.

'Moeten we hem nog langer vasthouden, meneer?' vroeg Lenolo aan Mirov. Hij knikte naar Astil.

Mirov keek Lenolo aan, maar gaf geen antwoord.

'Ja, wat nu? Wat doen we?' vroeg Madhu.

'Misschien hoeft er helemaal niet zoveel te veranderen als blijkt dat Barhennio de balsem niet maakte,' zei Lamantius. 'In een dergelijk geval bepalen de statuten dat de oudste ordeleider wordt, Cogluas dus. We kunnen gewoon verder gaan.'

'Gewoon verder gaan? Barhennio moet eerst toegeven,' zei Sarlemijn. 'Dan kunnen we misschien verder. Zijn koppigheid is beledigend. Zijn verraad onacceptabel.'

'Wat moet ik toegeven?' zei Barhennio. 'Het zijn leugens, Sarlemijn. Astil vertelt allemaal leugens.'

'U kunt de test doen,' riep Madhu, wiens brein door de spanning op topsnelheid werkte. 'Die factortest waarover u vertelde. Als Astil de waarheid spreekt, nam hij als eerste de balsem en kreeg hij dus een hogere bestendigheidsfactor.'

'Madhu heeft gelijk,' zei Cogluas. 'De factortest kan sluitend bewijs leveren.'

'Ik werk niet mee aan de test,' zei Barhennio. 'Niet voor deze leugenaar. Geen sprake van.'

'Wat voor test, waar heeft u het over?' vroeg Astil.

'De factortest,' zei Lamantius. 'Dat is een proef waarbij de mate van bestendigheid wordt aangetoond die afhankelijk is van het moment waarop de balsem werd toegediend. Door instabiliteit van bepaalde gebruikte stoffen neemt de werking af naarmate de balsem ouder wordt. Degenen die op een later tijdstip van de balsem kregen, hebben dus een lagere factor van bescherming. En die verschillen zijn aantoonbaar met een test.'

'Daar wist ik niets van,' zei Astil. 'Hoe groot zijn die verschillen? Hoe snel neemt de kracht van de werking precies af?'

'De eerste dagen varieert de werking heel sterk, daarna wordt die afwijking steeds minder.'

'Is er ook al een meetbaar verschil tussen mensen die de balsem uren of maximaal een dag na elkaar namen?' vroeg Astil.

Lamantius knikte. 'Zeker tijdens de eerste uren vlak na de productie moet de balsem ingrijpend zwakker zijn geworden. Zoals ik zei, hoe ouder de balsem werd, hoe langzamer de afname van de werkzame kracht.'

'Aha. Dus ik ben ook nog eens minder kwetsbaar dan jij.' Astil grijnsde naar Barhennio. 'Ik was al niet bang voor jou, maar nu blijkt dat daartoe ook nooit reden is geweest.'

'Denk wat je wilt,' antwoordde Barhennio. Maar zijn stem klonk onzeker.

'We komen er niet uit zo,' zei Olmander. 'Laten we terug-gaan naar het ordehuis en daar verder overleggen. Het is te koud om hier nog langer te staan.'

'Ordehuis?' zei Astil. 'Neen, geen sprake van. Barhennio's verraad eindigt op dit plein. Vannacht. Ik heb genoeg geduld gehad.'

Het viel even stil. De situatie liep steeds verder vast.

'Waarom laten we ze het niet samen uitvechten?' zei Mirov. 'Hier, ter plekke.'

'Uitvechten?' vroeg Karmonte.

'Ja,' zei Mirov. 'Als ik het goed begrijp, is een van deze twee sterker, meer onkwetsbaar dan de ander. Dat zou betekenen dat degene die het langst blijft staan, het minst kwetsbaar is. En dat is dus ook degene die de waarheid spreekt.'

'Wat een barbaars voorstel,' zei Civitato. 'Zoiets zou iemand uit onze Orde nooit bedenken.'

'Duelleren was altijd iets voor mensen van stand,' zei Mirov. 'Een echte markies als u zou daar zijn neus niet voor moeten ophalen.'

'Een fysieke krachtmeting in de vorm van een duel. Zeer passend,' zei Astil. 'Ik stem ermee in. En jij, Barhennio?'

'Een duel?' zei Barhennio. 'Waarom ook niet.'

Niboeck pakte Barhennio bij zijn schouder. 'Wat bezielt je?' zei hij. 'Het is genoeg zo. Het is misschien wel goed dat nu uitkomt dat ...'

'Zwijg!' riep Barhennio. Hij duwde Niboeck zo hard tegen Cogluas en Alminus Uga aan dat ze alle drie op de grond vielen. 'Jullie denken toch niet dat ik me zomaar mijn leiderschap laat afnemen? Na al die eeuwen?' Hij draaide zich naar Astil. 'Kom maar op, jij. Dan zijn we er vanaf. We duelleren.'

Lenolo liet Astil los, en knipoogde naar Paslo en Tatlo. Dit beloofde spannend te worden.

Het duurde even voor er een goede vorm was gevonden voor de krachtmeting tussen Astil en Barhennio; een geschikt bestendigheidsduel bedenken bleek niet zo eenvoudig. Bauzu's plan voor een bokspartij was al snel van de baan, omdat de uitslag daarvan te veel afhankelijk zou zijn van toeval en aangeleerde vaardigheden. Nee, men werd het er al snel over eens dat deze test van bestendigheid zo objectief mogelijk moest gebeuren, wilde men er serieuze conclusies aan kunnen verbinden.

'Voor een eerlijke strijd moeten Astil en Barhennio zo gelijk mogelijk beschadigd worden,' stelde Lamantius. 'Op hetzelfde moment of in precies dezelfde volgorde.'

Dit uitgangspunt bracht Paslo op het idee om de rivalen met een pistool beurtelings steeds zwaarder te verwonden, totdat een van hen zich overgaf of overduidelijk langzamer bleek te herstellen. Maar een dergelijke test met vuurwapens zou lawaaiig zijn en de aandacht van buitenstaanders trekken.

Er werd verder beraadslaagd, terwijl Madhu toekeek. Hij had op dat punt besloten niet meer te protesteren tegen het duel. Het was al beklonken; niemand, en zeker geen onbestendige jongen van twaalf, kon dit nog tegenhouden. Barhennio had de sympathie en steun van zijn mede-ordeleden verspeeld, zijn leugens en koppigheid hadden zich nu tegen hem gekeerd. De ordeleden wilden antwoorden afdwingen, een snelle oplossing forceren, ze wilden hun woede en frustratie kwijtraken.

Astil proefde onzekerheid bij Barhennio, wat hem alleen maar strijdlustiger maakte.

En in het midden stond Mirov, de grote inspirator van het plan dat uiteindelijk tot stand kwam.

'Is dat gebouw werkelijk van u?' vroeg Karmonte.

'Jazeker, het is bijna af,' zei Mirov, merkbaar gevleid door Karmontes verraste toon. 'Mijn mannen hebben de sleutel van de bouwlift, die helemaal naar boven gaat.'

'Hoe hoog is dat, helemaal boven?' vroeg Civitato.

'Zesenveertig meter. Ik heb jullie geweldige stunts zien uithalen, laatst in het Quarto Balto, maar een vrije val van zesenveertig meter moet zeker de grenzen van jullie herstelvermogen overschrijden.'

'Zonder twijfel. We zouden ze halverwege kunnen laten beginnen,' zei Trismegista.

'Dat is dan de zevende of achtste etage,' zei Mirov.

'De achtste lijkt me een goed startpunt,' zei Civitato. 'Wat denk jij ervan, Cogluas?'

Cogluas knikte. 'En daarna steeds een sprong van een verdieping of twee hoger, totdat een van hen het niet meer aankan.'

'Er moet dan wel op dezelfde manier gesprongen worden,' bracht Maurall in. 'Als we ze inderdaad gelijkmatig willen belasten, moeten ze allebei op dezelfde lichaamsdelen terechtkomen. Het is bijvoorbeeld niet eerlijk als de een op zijn rug landt, en de ander op zijn hoofd.'

'Goed punt,' zei Trismegista. 'Laten we kiezen voor een

sprong met de benen naar beneden. Neerkomen op de voeten dus.'

'Afgesproken,' zei Lamantius, die zichzelf samen met Trismegista en Civitato een uitvoerende rol had aangemeten bij de voorbereidingen van het duel. 'Dan hoeven we alleen nog twee mensen aan te wijzen die ervoor zorgen dat alles eerlijk verloopt. Twee secondanten. Wie gaan er met Barhennio en Astil mee naar boven?'

Niboeck stapte naar voren. 'Ben je hier zeker van?' vroeg hij eerst aan Barhennio. 'Niemand dwingt je.'

Barhennio keek weg, over het plein richting Mirovs gebouw.

'Ga je dit echt doen?' vroeg Niboeck nog eens.

Barhennio haalde zijn schouders op en knikte.

'Het zij zo,' zei Niboeck met een zucht. 'Ik ga wel mee omhoog.'

'Ik ga ook mee,' zei Bauzu.

'Tatlo, jij bedient de lift. En let erop dat de twee partijen niet vroegtijdig aan hun strijd beginnen,' zei Mirov.

Tatlo zou veel liever beneden blijven en het spektakel van dichtbij aanschouwen, maar hij deed wat hem gezegd werd. Hij stak zijn hand uit naar Lenolo, voor de sleutels van de lift.

Met zijn allen staken ze het plein over.

Niemand sprak. Voetstappen knerpten in de sneeuw.

Van onderaf leek het kantoorgebouw nog veel hoger dan vanaf de andere kant van het plein. Alleen beneden brandden een paar bouwlampen, waardoor de rest van de met zwart glas beklede toren donker afstak tegen de grijze winterwolken in de lucht. Bouwmaterialen op een hoge steiger waren bedekt met ijs en klapperende doeken. 'Heren, komt u mee?' vroeg Tatlo, rinkelend met de sleutels.

Astil volgde Tatlo onmiddellijk, terwijl Barhennio zich als een veroordeelde op weg naar het schavot door Bauzu en Niboeck liet meevoeren. Ze verdwenen door een deur in de houten schutting die om de bouwplaats stond.

De rest bleef achter op het plein, aan de voet van de toren.

'Ik kan niet geloven dat dit echt gebeurt,' zei Madhu, omhoogturend.

'Verwacht maar niet dat Barhennio dit doorzet,' zei Trismegista. 'Zijn dwarsheid houdt hem niet lang meer overeind, let maar op. Hier heeft hij de durf niet voor.'

'Die Astil is in ieder geval bereid tot het uiterste te gaan,' zei Mirov. 'Die bluft niet.'

Er was een harde tik hoorbaar. Gezoem zwol aan, liep in toonhoogte op en bleef op een bepaald niveau doorklinken; het geluid van elektriciteit die werd ingeschakeld en een machine tot leven bracht. Ratelend en rammelend kwam de bouwlift boven de schutting tevoorschijn. Madhu, Mirov, Lenolo, Paslo en de negen ordeleden konden in het flauwe schijnsel van een gloeilamp de vijf inzittenden onderscheiden: Niboeck, Bauzu en Tatlo leunden tegen de achterwand, en Barhennio en Astil stonden elk aan een zijkant, tegen het gaas.

Langs de voorkant van het gebouw gingen ze verder omhoog. Op het moment dat ze boven de omliggende gebouwen uit kwamen, kreeg de wind vrij spel en begon de liftkooi heen en weer te zwaaien. Barhennio greep zich in een reflex vast in het gaas.

'Zie ik dat je weinig op je gemak bent?' vroeg Astil aan Barhennio.

Barhennio's gezichtsuitdrukking verraadde dat Astil gelijk had.

Astil grijnsde. 'Als je toch eens wist hoe goed het mij doet dat dit moment is aangebroken. Honderden jaren heb ik mezelf kwalijk genomen dat ik niets heb ondernomen toen Drozier werd terechtgesteld. Steeds weer moest ik mezelf ervan overtuigen dat bepaalde zaken niet tegengehouden konden worden, dat het lot soms onomkeerbaar is. Maar schuldgevoel vrat aan me – waarom zette ik geen bevrijdingsactie op touw? Waarom eiste ik geen tweede berechting? Waarom liet ik toe dat jij Drozier van mij afnam? Maar nu krijg ik alsnog een kans iets te doen. Ik heb het recht aan mijn kant en weet dat ik onkwetsbaarder ben dan jij. Ik ben sterker dan wie ook op deze wereld.' Astil zag er bijna gelukkig uit.

Met een schok kwam de lift tot stilstand.

'Zijn we er?' vroeg Niboeck. Zijn stem klonk nerveus.

'Ja. De verdieping voor de eerste sprong,' antwoordde Tatlo.

Astil stapte opzij en liet Tatlo erbij om twee hangsloten aan de bovenkant van de lift open te maken. Met een zwaai sloeg de voorkant van de liftkooi omlaag. De diepte aan hun voeten sperde zijn mond wagenwijd open.

Astil boog zich voorover om naar beneden te kijken. De wind liet zijn haar wapperen.

Schuifelend kwam Barhennio wat naar voren. Hij slikte toen hij zag hoe klein de mensen leken die beneden op het plein naar hen opkeken.

'Zullen we dan maar?' vroeg Astil.

'Je zit ernaast als je denkt dat ik nooit spijt heb gehad van Drozier,' zei Barhennio. De jeugdigheid van zijn uitdager was van dichtbij nog opvallender en perste het laatste restje moed uit hem.

'En jij zit ernaast als je denkt dat er een uitweg voor je is,' zei Astil. 'Kijk nog maar eens goed uit over dit plein. Hier ging Drozier in vlammen op, dankzij jouw verraad. Het is niet meer dan rechtvaardig dat jij ook op deze plek wordt berecht en veroordeeld. Zie het als een herstel van het evenwicht in het universum, waar alles met elkaar is verbonden. Jij maakt Drozier vrij door met haar te ruilen, door haar plaats op de weegschaal in te nemen. Jij bent de enige die Drozier kan laten herleven, zodat ze eindelijk in vrede kan vertrekken.'

Barhennio keek Astil met grote ogen aan.

'Alles valt op zijn plaats,' zei Astil. 'Wees maar niet bang en kom mee.' Hij greep Barhennio's pols vast en sprong.

Gespannen had Madhu staan toekijken hoe Astil en Barhennio even aan de rand hadden gestaan. Hij schreeuwde het uit toen hij ze gezamenlijk naar beneden zag komen.

Het ging verbazingwekkend snel. Madhu had gedacht dat een val van dergelijke hoogte langer zou duren, maar zijn kreet hing nog in de lucht toen de twee mannen insloegen op de stoep. Ze landden precies tegelijk, met een afschuwelijke klap. Het gekraak en geknap van botten en pezen was weerzinwekkend. Spetters bloed besmeurden alles in een straal van tien meter.

Trismegista draaide Alminus Uga om, zodat hij dit vreselijks niet hoefde te zien.

Zowel Astil als Barhennio bewogen even niet. Hun oorspronkelijke vormen waren moeilijk te onderscheiden. Er puilden ledematen uit op plaatsen waar dat niet hoorde. Scherven gebroken straattegel staken rondom hen omhoog.

Uitroepen van verwondering klonken toen er schokkerig leven kwam in de bult die Astil moest voorstellen. Zijn hoofd bewoog en kwam met een venijnig knakkend geluid rechtop te staan. Een raspende teug adem gaf weer volume aan zijn deels ingevallen borstkas.

'Ongelofelijk,' zeiden Lamantius en Karmonte gelijktijdig toen Astils romp omhoogveerde.

Tot dan toe leek Astil zich onbewust van wat er aan de hand was, maar op het moment dat hij zijn rechterarm uitstak om zichzelf uit de krater in de stoep te drukken, was hij duidelijk weer bij zijn positieven. 'Ah, gelukkig,' mompelde hij zelfs bij het ontdekken van zijn eveneens functionerende linkerarm. Astil begon aan zijn ontwrichte onderbenen te draaien en te trekken, totdat alles weer enigszins op zijn plaats stond. Vervolgens hees hij zich trillend op zijn knieën en kon hij (na twee keer omvallen) weer helemaal rechtop staan. Lenolo begon spontaan te applaudisseren, waarop zijn broer, Mirov en een paar ordeleden volgden.

Geleidelijk begon Barhennio ook tekenen van leven te vertonen. Hij hijgde hortend, nog steeds met zijn bovenlijf voorovergebogen over de klomp weefsel die ooit zijn benen hadden gevormd.

Civitato hurkte bij hem neer. 'Barhennio?'

Een lange hoestbui ging vooraf aan Barhennio's onverstaanbare reactie.

Civitato hield zijn hoofd dichterbij. 'Wát zeg je?'

Er klonk meer gereutel en Civitato probeerde er met samengeknepen ogen iets uit op te maken.

'Volgens mij wil hij zitten,' zei hij tegen Sarlemijn, die naast hem was geknield. 'Moeten we je omhooghelpen, Barhennio?'

Barhennio knikte.

Met zijn tweeën trokken ze Barhennio's bovenlijf rechtop. De aanblik was hartverscheurend: zijn gezicht was ongeschonden, maar de rest van zijn lichaam was er slecht aan toe. In zijn schoot lagen twee verdraaide armen en zijn nek stond in een vreemde hoek op zijn romp. Zijn benen leken onherstelbaar beschadigd.

Op dat moment kwamen Niboeck, Bauzu en Tatlo aangerend.

'Nee.' Niboeck liet zijn armen hangen toen hij Barhennio onderscheidde. 'Nee,' zei hij alleen weer.

Tatlo fronste zijn wenkbrauwen. 'Het duel is al beslist, zie ik.'

Er begonnen tranen uit Barhennio's ogen te stromen toen hij iedereen geschokt naar hem zag kijken. 'Het spijt me,' zei hij. Hij probeerde zijn gezicht in zijn handen te verbergen, maar kreeg dit met zijn kapotte armen niet goed voor elkaar. 'Ik heb dit allemaal nooit zo bedoeld.'

De schouders van Karmonte begonnen te schokken. 'Wat heb jij ons vreselijk bedrogen,' zei ze tussen haar snikken door.

'Cogluas, alsjeblieft,' smeekte Barhennio, zijn arm opheffend naar de man die nu vanwege zijn leeftijd automatisch de nieuwe ordeleider was geworden. Maar Cogluas kon zich er niet toe zetten zijn zojuist gevallen voorganger troost te bieden en duwde Barhennio's hand weg.

Een paar minuten stonden ze rond Barhennio, iedereen verzonken in zijn of haar gedachten. Madhu dacht aan het verdriet dat hij in de stem van Barhennio hoorde, het soort pijn waar Droziers balsem niet tegen opgewassen was en daarna aan zijn oom Ranga, die nu ergens door het internationale luchtruim vloog, op weg hierheen om hem op te halen. Mirov mijmerde over de aanrakingen van Mosra-Ni, en dacht aan de vrucht die sinds twee maanden in haar buik groeide: hun eigen zoon of dochter.

Paslo keek naar zijn met bloed besmeurde suède laars en vroeg zich af hoe hij die weer schoon kreeg. Lenolo waagde zich aan het uitdenken van een nieuwe spectaculaire stunt voor Entitas, en Tatlo maakte plannen voor een ander klusje waaraan zij voor Mirov werkten.

De ordeleden voelden teleurstelling, boosheid en verontwaardiging, maar overwogen ook alweer de toekomst, die eindeloze perspectieven bood nu er opnieuw balsem gemaakt kon worden.

En de enige bestendige die niet bij de Orde hoorde, voelde zijn wraakzucht wegebben. Astil was eindelijk een oude belofte nagekomen en voelde zich verlost. Zijn leven kon opnieuw beginnen.

'Het is genoeg zo,' zei Astil uiteindelijk. 'Breng deze gebroken man weg, zodat ik hem mij kan herinneren zoals hij nu is. Ik vind dat hij voldoende heeft geboet, en ik weet dat Drozier hetzelfde zou zeggen.'

Dit leken de bevrijdende woorden waarop iedereen had gewacht. Cogluas wenkte naar Civitato en Lamantius. Met behulp van een aantal jassen werd snel een brancard geïmproviseerd, waarmee Barhennio kon worden opgetild.

Het leek ongepast en onnodig om verder iets te zeggen, waardoor het afscheid van de ordeleden in stilzwijgen verliep. Alleen Cogluas maakte nog een diepe en eerbiedige buiging naar Astil voor hij zich bij de anderen aansloot.

'Onze wegen scheiden hier,' zei Astil toen de stoet ordeleden het plein had verlaten. Hij stapte op Mirov af en greep zijn hand. 'Bedankt, heer, en nogmaals mijn excuses voor de overlast met het juweel. Ik hoop dat het huwelijk met uw geliefde gelukkig wordt.'

'En u,' zei Astil vervolgens tegen Madhu, 'wens ik ook het beste toe. Uw inmenging in deze zaak was bijzonder waardevol.' Hij boog zich voorover en fluisterde in Madhu's oor: 'Ik heb iets voor u achtergelaten in de wagen waarvan u nu de sleutel bezit. In de aluminium kist vind je een stalen kistje. De code van het hangslot is 1539. Wees goed voor de toekomst. Koester Droziers erfenis.'

Astil stapte naar achteren en liet met zijn onbewogen gezichtsuitdrukking verder niets meer los. 'Vooralsnog vaarwel, heren.' Hij knikte nog eens en begon te lopen. Zonder een voornemen, zonder een doel. Maar toch voelde hij zich alsof hij precies ging doen wat hij van plan was.

Met een vragende blik ging Tatlo na of hij erachteraan moest, maar Mirov schudde zijn hoofd. 'Hij heeft wel wat rust verdiend.' Hij wendde zich tot Madhu. 'En?' vroeg hij.

Madhu lachte nerveus. 'Wat bedoelt u?' Hij probeerde tijd te winnen voor het bedenken van een antwoord op die onvermijdelijke vraag.

'Ga je me nog vertellen wat hij tegen je zei?'

'Het was een … Een persoonlijk advies voor de toekomst. Denk ik.' Madhu probeerde onverschillig te klinken. 'Maar ik weet het niet zeker.'

'Niet zeker?' Mirov zuchtte. 'Weet je wat? Ik ga naar huis. Naar Mosra.' Hij roffelde met zijn vingers op het houten kistje onder zijn arm. 'Zal ik jou naar Firi brengen?'

'Ja, graag,' zei Madhu. Zijn hart bonkte. Hij vermoedde, hoopte dat hij wist wat er voor hem was achtergelaten. Vannacht nog moest hij naar die parkeergarage.

Marrus kon hem vast wel even brengen.

Daar staat ze, hoger dan de rest. Vastgebonden aan een paal weliswaar, maar toch torent Drozier ver uit boven de domme meute die is komen kijken naar haar terechtstelling.

Mij heeft ze nog niet ontdekt tussen het gedrang, maar mijn moeders aanwezigheid is haar zeker niet ontgaan – die heeft een prominente plek bemachtigd, vlak aan haar voeten. Naast mijn moeder staan wat buren en familieleden, die beurtelings naar Drozier spugen om aan mijn moeder te laten zien hoe ze met haar meeleven. Dat Drozier niet bloedt of schreeuwt wanneer er een steen tegen haar hoofd wordt gegooid, doet de zaak geen goed; iedereen is er nu van overtuigd dat mijn geliefde een heks is. Ik schaam me voor hoe de wereld is.

Ze ziet er eerlijk gezegd goed uit. Uitgerust zelfs.

Ik luister maar half wanneer de heraut van de rechtbank, een jongeman, net wat ouder dan ik misschien, de beschuldigingen en het vonnis begint voor te lezen. Ik kijk naar Droziers mond, haar prachtige wenkbrauwen, haar opgeheven kin. Ik weet zeker dat ze aan mij denkt. Onder haar boei kan ik de armband zien zitten die ik haar een paar dagen geleden op het plein wist toe te stoppen. 'Het pijnigen van dieren tijdens duistere riten ... mensen tegen hun wil verliefd laten worden ... kwaad doen zonder ze aan te raken ... diefstal van wetenschappelijke formules ... En daarom heeft het gerechtshof van de stadsstaat Mone-Daun besloten dat Drozier van Stellon, leerling van Barhennio van

Stellon, op deze maandag de twintigste januari van het jaar 1539 de dood zal vinden op de brandstapel. Dat haar ziel mag worden gezuiverd door het vuur.'

Het is zover. De beul heeft haar van onder tot boven ingesmeerd met varkensvet en houdt een fakkel bij de stapel takken waarop ze staat. Ik ben bang dat ze pijn zal hebben en begin te trillen. De takken knappen. Barhennio wendt zijn hoofd af, de huichelaar. De rest van de ordeleden blijft kijken.

Even likken de vlammen schuchter aan de onderkant van Droziers bruine gewaad, maar al snel grijpen ze haar beet. Gulzig.

Haar huid en haar sist en sputtert zo afschuwelijk. Het zijn dezelfde geluiden die de ossen op de wintermarkt maakten. Ze kijkt gelukkig niet naar beneden om te zien hoe haar smeltende lichaam eruitziet. Pijn lijkt ze niet te hebben.

Even vraag ik me af waarom iedereen gilt en naar Droziers gezicht wijst, tot ik door de rook zie dat ze glimlacht en mij aankijkt. Op dat moment vloeien onze gedachten samen. We zijn doordrongen van elkaars liefde en toewijding. Ik laat haar weten dat ik alle onrecht zal wreken.

'Wacht maar!' roep ik boven alles uit. Barhennio herkent mijn stem en kijkt geschrokken naar me om. 'Wacht maar,' roep ik nog harder.

Een golf van volmaakte rust spoelt Drozier weg.

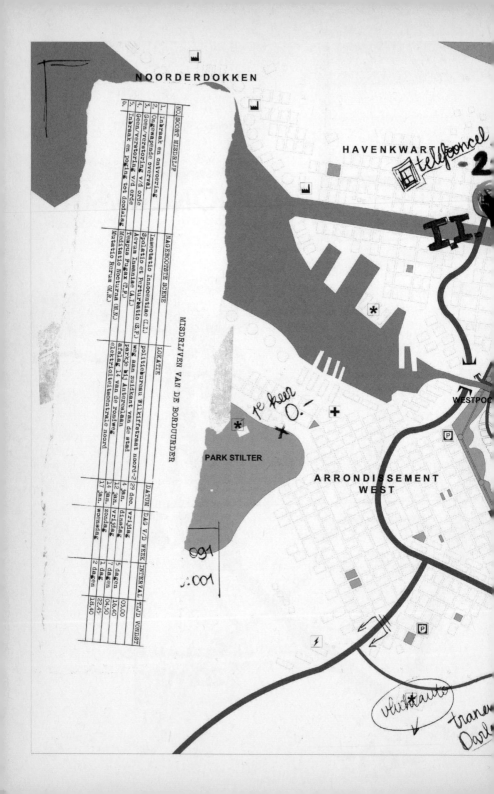